H
Stern

H Stern

a história do homem e da empresa

por Consuelo Dieguez

1ª edição – 2015

H Stern

CIP-BRASIL. CATALOGAÇÃO NA PUBLICAÇÃO
SINDICATO NACIONAL DOS EDITORES DE LIVROS, RJ

D559h

Dieguez, Consuelo
H Stern: a história do homem e da empresa / Consuelo Dieguez. – 1. ed.
– Rio de Janeiro: Record, 2015.
il.

ISBN 978-85-01-10664-3

1. Stern, Hans, 1922-2007.
2. Empreendedores - Brasil – Biografia - Negócios.
3. H.Stern (Empresa) - História. I. Título.

15-26040 CDD: 926.58
CDU: 929:658

ans

Texto revisado segundo o novo Acordo Ortográfico da Língua Portuguesa.

Design de capa, projeto gráfico e diagramação: Estúdio Gráfico Marcia Cabral

EDITORA RECORD LTDA.
Rua Argentina, 171 – Rio de Janeiro, RJ – 20921-380 – Tel.: (21) 2585-2000.

Impresso no Brasil
ISBN 978-85-01-10664-3

Sumário

capítulo I

Noite dos Cristais

Madrugada de 9 para 10 de novembro de 1938

O engenheiro Kurt Stern está recostado em uma das mesas do escritório da sua empresa de instalações elétricas industriais, na cidade de Essen, na Renânia do Norte-Vestfália, Alemanha.

Seu filho Hans, de 16 anos, encontra-se de pé, com o rosto colado na grande janela envidraçada. Não muito longe dos dois, está Albert Kamp, sogro de Kurt e avô materno do rapaz, sentado em uma cadeira estofada. Tem as mãos apoiadas sobre os joelhos e bate com um dos pés no chão de forma cadenciada. Ninguém na sala ousa falar, parecem apenas tentar decifrar o silêncio, carregado de tensão, àquela hora da madrugada.

Três dias antes, em 7 de novembro, Herschel Grynszpan, um jovem de 17 anos, judeu refugiado, tocara a campainha da embaixada alemã em Paris trazendo um revólver escondido no bolso do sobretudo. Ao recepcionista que o atendeu, disse que desejava ver o embaixador, o conde Johannes von Welczek. Estava tenso, tinha as mãos geladas e trêmulas, mas tentava aparentar calma. Poucas semanas antes, seu pai fora deportado para a Polônia em um vagão fechado, e Herschel desejava vingá-lo e outros milhares de judeus afetados pela perseguição nazista.

Ao ser admitido no prédio, Herschel viu um homem de ar cordial encaminhando-se até ele. Era Ernst vom Rath, terceiro-secretário da embaixada. Pensando tratar-se do embaixador, Herschel sacou a arma e atirou. Rath morreria dois dias depois. Ironicamente, o homem executado vinha sendo vigiado havia algum tempo pela Gestapo por suas posições antinazistas. Chegara a se manifestar contra os sofrimentos impostos à comunidade judaica pelo governo nacional-socialista de Adolf Hitler. O jovem judeu, inadvertidamente, matara um aliado.

O episódio, no entanto, serviu para acirrar ainda mais a campanha antissemita. Logo, a eficiente máquina de propaganda nazista tratou de explorar o fato. A imprensa alemã, habilmente manipulada por Joseph Goebbels, o poderoso ministro da Propaganda de Hitler, passou a clamar de forma estridente por justiça.

Kurt, Albert e o jovem Hans, como a maioria dos judeus alemães, sabiam que o assassinato do secretário da embaixada em Paris lhes custaria caro. Desde aquele dia, não havia casa, empresa, escola judaica, ou sinagoga na Alemanha onde o medo não houvesse se instalado. Era óbvio que os nazistas se aproveitariam do episódio para atacá-los com maior virulência. Poucos, no entanto, poderiam ter previsto a magnitude do terror que os aguardava.

No final da noite de 9 de novembro, quando os graúdos do Partido Nacional-Socialista celebravam o 15º aniversário do Putsch de Munique – a tentativa de golpe dos nazistas contra o governo da Baviera, em 1923 –, começaram a pipocar, em toda a Alemanha, manifestações contra os judeus pela morte do diplomata Ernst vom Rath. Passava de 1 hora quando Kurt, Hans e Albert começaram a ouvir urros vindos das ruas, misturados a gritos de pavor e ao som inconfundível de vidraças se quebrando. De onde estavam, puderam avistar o céu daquela escura madrugada ser sinistramente iluminado pelas labaredas dos prédios incendiados. Então, abruptamente, o cenário de terror se descortinou na frente deles: da janela, viram o instante em que uma multidão enfurecida, armada com tochas, pedras e paus, surgiu na esquina da rua onde estavam.

Kurt rompeu o estado de paralisia em que se encontravam e gritou para que deixassem o prédio. Os três saíram correndo do escritório e, no escuro, atravessaram as oficinas da empresa, esbarrando em máquinas e equipamentos elétricos, até chegarem à porta dos fundos, por onde escaparam. Enquanto fugiam, podiam ouvir o barulho dos portões e das vidraças do prédio sendo arrebentados pelos vândalos, que logo passaram a destruir máquinas e móveis da empresa, lançando-os à rua para serem queimados.

Naquele momento, no entanto, a única preocupação deles era escapar. Para não serem presos, Kurt e Albert refugiaram-se na biblioteca do bispo da cidade. O bibliotecário era conhecido da família e os escondeu. Hans fora deixado na casa de parentes, onde sua mãe, Ilse, já estava. O casarão de dois andares ficava em uma rua tranquila, em Mohrenstrasse, um bairro sofisticado e arborizado. Ali, não havia sinal de tumulto e Kurt achou que a mulher e o filho estariam em segurança.

Por volta das 3h30, Hans e um pequeno grupo de familiares reunidos na sala acharam que o pior havia passado. Tudo lá fora estava silencioso. Mas, de repente, a rua foi invadida pelos perseguidores. Pedras foram arremessadas contra as vidraças das casas dos judeus. Encurralada, a família buscou locais onde se proteger. Hans se escondeu ao lado de um grande armário na sala de jantar. No momento em que a casa foi invadida, levou um chute no estômago que lhe tirou o ar. Achou que morreria quando o enorme armário tombou sobre ele. Por sorte, não chegou a tocar o chão. Ficou inclinado, apoiado na parede lateral, formando uma proteção sobre o menino. De seu esconderijo acidental, Hans viu quando homens da SS – a truculenta e temida polícia política do partido –, misturados à turba, destruíram tudo. Lustres foram arrancados dos tetos, móveis quebrados e lançados pelas janelas, tapetes rasgados, porcelanas estraçalhadas, livros pisoteados.

Quando os vândalos finalmente deixaram a casa, os moradores saíram de seus abrigos. Em pânico, correram pelas ruas esgueirando-se pelos muros, até chegarem à biblioteca do bispo, onde também foram acolhidos. Lá ficaram escondidos por três dias esperando que a onda de violência amainasse.

Caía uma chuva fina na fria manhã de 13 de novembro quando eles finalmente deixaram a biblioteca e voltaram para suas casas. O enorme apartamento onde os Stern viviam tinha sido poupado pela turba, por estar em um prédio onde também moravam não judeus. A empresa de Kurt, no entanto, estava arruinada.

O saldo daquela noite de terror por toda a Alemanha foram 815 empresas totalmente destruídas e 7.500 saqueadas; 119 sinagogas incendiadas e mais 176 completamente destruídas; 20 mil judeus presos e levados para campos de concentração; outros 36 gravemente feridos e mais dezenas deles mortos por assassinato ou chacinados quando tentavam escapar do fogo.[1] O governo do Terceiro Reich não só ignorou a violência – que secretamente estimulara através de instruções aos líderes da SS – como decidiu impor uma descabida penalidade à comunidade judaica. Através de um bizarro comunicado do Ministério da Fazenda, os judeus foram avisados de que seriam responsabilizados pelas pilhagens e destruição de suas próprias propriedades, "em virtude de seus crimes abomináveis".

O plano fora arquitetado, na manhã do dia 12 de novembro, em uma reunião comandada pelo corpulento marechal de campo Hermann Göring, com um grupo de ministros do Reich e representantes de companhias de seguro. Na reunião, Göring fora informado pelas seguradoras de que as perdas com a destruição das propriedades judaicas estavam estimadas em 25 milhões de marcos. Isso significava que, se tivessem que pagar pelos sinistros, iriam à falência. Só com o ressarcimento dos vidros quebrados, as seguradoras teriam que desembolsar 5 milhões de marcos. Como os vidros eram importados, o pagamento teria que ser feito em moeda estrangeira, escassa no país.

Irritado com os dados apresentados, Göring voltou-se para Reinhard Heydrich, o funesto líder número dois da SS comandada por Heinrich Himmler, e berrou: "Preferia que vocês tivessem matado duas centenas de judeus em vez de destruírem tantos valores."[2] Em seguida,

---

[1] William L. Shirer. *Ascensão e queda do Terceiro Reich*. Rio de Janeiro: Agir, 2008.

[2] William L. Shirer. Op. cit.

pôs-se a maquinar uma saída para a crise. Sua primeira proposta às seguradoras foi de simplesmente não indenizarem os judeus pelos prejuízos. As seguradoras, preocupadas com sua reputação, reagiram, afirmando que ficariam desacreditadas interna e externamente se não honrassem com seus compromissos.

Foi então que Göring anunciou uma solução grotesca: elas indenizariam os judeus, mas esse pagamento seria confiscado em seguida pelo governo e devolvido parcialmente às seguradoras. O auge da indignidade foi a decisão do marechal de campo de impor também uma multa coletiva à comunidade judaica de 1 milhão de marcos pelos estragos em suas propriedades. Exatamente às 14h30, após quatro horas de discussão, a reunião foi encerrada, e o comunicado, com as decisões, expedido.

Os Stern, no entanto, tinham uma preocupação muito maior do que recuperar a firma arruinada e pagar a multa coletiva. Gustav Stern, avô paterno de Hans, morava em Nassau, uma cidadezinha de veraneio entre Frankfurt e Wiesbaden, a sofisticada estação de águas onde a alta sociedade alemã se divertia. Desde a macabra madrugada de 10 de novembro, que ganhou o sugestivo nome de Noite dos Cristais, pela quantidade de vidros quebrados em todo o país, os Stern não tinham qualquer notícia dele.

Gustav Stern era um homem de 84 anos, de rosto bonachão, cabeleira branca e postura ereta. Viúvo havia muitos anos – sua mulher, Hermine, morrera antes de Hans nascer –, ele vivia em sua casa em Nassau acompanhado apenas de Rosa, sua governanta. Os dois, temiam os Stern, ficariam completamente vulneráveis nas mãos de vândalos nazistas, caso estes os alcançassem.

A casa de Gustav era um chalé de três andares, com floreiras sob as janelas brancas que se abriam para um jardim gramado, sombreado por árvores frondosas. Na primavera, ficavam carregadas de flor. A casa era circundada por uma cerca de ferro entremeada por muretas de tijolo aparente, com vasos de plantas no topo, que permitiam aos passantes admirarem, da rua, o bem cuidado jardim. Ali, Gustav costumava passar as tardes em volta de uma mesa.

A porta dianteira da casa era alcançada através de uma pequena escada com um corrimão de madeira trabalhada, em cujo patamar havia um pórtico coberto por uma trepadeira florida. Na parte de trás do chalé havia um imenso pomar onde Hans, ainda criança, vestido com um avental, colhia maçãs, que transportava em um carrinho de mão, sempre observado por Rosa, cujo carinho pela criança era enorme.

Kurt, Ilse e Hans passavam quase todas as férias com Gustav. Em Nassau, Hans tinha uma turma de amigos, e o jardim do avô, com seus gramados marcados por suaves declives, era perfeito para as brincadeiras infantis.

Na pacata Nassau, os dias corriam tranquilos. Nas manhãs quentes de verão, as crianças podiam andar de caiaque no rio Lahn, um dos grandes prazeres de Hans. Os adultos tomavam chá e conversavam em volta da mesa do jardim, protegida por um guarda-sol branco, ou faziam piqueniques pelos parques da redondeza.

O chalé se transformara no paraíso particular do engenheiro Gustav desde que se aposentara, relativamente cedo, encerrando as atividades de sua firma de engenharia elétrica, a Gustav Stern. Era no idílico chalé de Nassau que ele imaginara passar o resto de seus dias.

Os Stern eram uma família rica e assimilada à sociedade alemã – o que significava ser muito pouco apegada às tradições judaicas –, como tantas outras no país. Sempre levaram uma vida confortável. Em 1880, Gustav fundara sua primeira empresa de instalações elétricas, a Gebr., na Viehofer Strasse, em Essen. Os judeus, de um modo geral, vinham pros-

1 Casa do avô paterno de Hans, Gustav Stern, em Nassau.
2 Hans Stern aos 2 anos de idade.

perando na Alemanha, que se transformara em um dos países mais liberais em relação a eles. Uma abertura que começara lentamente no final do século XVIII, quando o filósofo Moses Mendelssohn rompeu a barreira que separava os judeus dos cristãos ao conquistar a admiração e a amizade de respeitados intelectuais protestantes, como Lessing e Goethe.

No começo do século XX, as restrições aos judeus já estavam bastante reduzidas. Eles foram autorizados a ocupar cargos no serviço público e a estudar em universidades alemãs. Kurt Stern cursara engenharia em uma universidade no sul do país e era natural imaginar que Hans, quando chegasse o momento, também iria para alguma universidade. Durante a Primeira Guerra, na casa dos 30 anos, Kurt chegou a fazer treinamento militar e só não lutou no front por causa de sua formação acadêmica. Em lugar disso, foi convocado para trabalhar na Siemens, empresa de equipamentos elétricos, ajudando no esforço de economia de guerra.

Após o fim do conflito, a família Stern passou por altos e baixos, como todos os alemães. Primeiro, foram atingidos pela brutal recessão de 1922, que culminou em uma inflação astronômica. Depois, sofreram com a crise da bolsa, de 1929, nos Estados Unidos, que se espalhou como um rastilho de pólvora por todo o mundo ocidental. Em 1922, Kurt perdeu a primeira empresa, que fundara com mais dois sócios. Recuperou-se e abriu nova firma, que progredira bastante até 1932.

Mas o ano de 1933 viera carregado de maus presságios. Pouco antes do meio-dia em 30 de janeiro, Adolf Hitler, então com 44 anos, prestou juramento ao velho e respeitado presidente alemão, o marechal de campo Paul von Hindenburg. Naquele instante, Hitler assumia o posto de chanceler da República que, em pouco tempo, destruiria para fundar o Terceiro Reich, uma violenta ditadura que mudaria de forma cruel não só os rumos da Alemanha, mas de todo o mundo.

A partir daquele momento, os judeus transformaram-se em cidadãos de segunda classe, praticamente excluídos da sociedade alemã.

A cada dia, novas medidas restritivas eram baixadas. Já não podiam lecionar nem estudar em universidades e escolas públicas, não podiam frequentar teatros, cinemas, praias nem mesmo os bosques alemães.

Muitos judeus não toleraram a situação e deixaram a Alemanha quando as leis antissemitas se tornaram mais humilhantes. Foi o caso de Alexander Kamp, tio de Hans, irmão de Ilse, sua mãe. Em 1936, inconformado com os rumos que a Alemanha tomava, Alexander – ou Alex, para a família – emigrou para o Brasil. No Rio de Janeiro, conheceu e casou-se com Gabriela Burle Marx, uma jovem de cabelos negros e sorriso largo, cuja família, pelo lado materno, pertencia a um tradicional clã pernambucano, os Burle. Já seu pai, Wilhelm Marx, era primo em primeiro grau do judeu alemão Karl Marx, pai das teorias socialistas que vinham sacudindo a Europa.

Os Stern resistiam. Já haviam passado por momentos difíceis, haviam sofrido perdas dolorosas, suas empresas haviam quebrado. Mas sempre se reergueram. Estavam convencidos de que o horror passaria e de que Hitler, por pressão das duas potências europeias – Inglaterra e França –, seria tirado do poder. Achavam também que a sociedade alemã, à qual se sentiam visceralmente ligados, também se rebelaria contra aquele estado de coisas.

Possuíam razões pessoais para ter esperanças. Quando Hans, filho único de Kurt e Ilse, nasceu, em 1º de outubro de 1922, descobriu-se que era portador de uma trágica anomalia. Para desespero dos pais, o bebê louro e rosado, com imensos olhos azuis, era cego. Apesar disso, era uma criança esperta e sorridente, que passava de colo em colo pela extensa geração de mulheres da família Kamp: a tataravó, a bisavó, a avó e a mãe.

Ao completar 2 anos, algo surpreendente aconteceu: Hans começou a enxergar de um dos olhos. Depois disso, passou a levar uma vida normal como a de outras crianças. Divertia-se tanto em passeios na casa do avô em Nassau, como nos verões com os primos e amigos na ilha de Norderney, na costa da Alemanha, onde nadava, espichava-se na areia sob o sol e fazia longos passeios de barco.

1 Hans e o pai, Kurt Stern.
2 Férias com a família na ilha de Norderney, no mar do Norte, 1930.
3 Hans com o uniforme escolar.
4 Cinco gerações da família: sentadas (da esquerda para a direita), Ilse, com Hans no colo, e a tataravó do menino. De pé, a avó, Ina, e a bisavó.
5 Ilse Stern com Hans.
6 Kurt Stern servindo ao exército alemão.

Por causa da sua deficiência visual, em 1928, aos 6 anos, Hans foi matriculado em uma escola particular em Essen. Em 1932, foi transferido para o ginásio público, caminho natural de toda criança alemã até então.

Os judeus alemães eram tão integrados àquela sociedade que a maioria custou a se dar conta de que, para sobreviver, teriam, com urgência, que deixar tudo para trás e partir. Em 1936, quando o tio de Hans, Alexander, emigrou para o Brasil, Kurt Stern também pensou em ir embora. Chegou a fazer uma viagem à Palestina para averiguar a possibilidade de emigrar para a região. Voltou decepcionado. Achava que já estava velho demais – tinha então 49 anos – para mudar-se, com a família, para um país estranho, cuja língua não falava – sequer o iídiche –, e em condições muito diferentes da vida confortável que ainda levavam na Alemanha.

Mas o cenário mudava rapidamente. Para ir à casa do avô, em Nassau, como sempre fizeram, passavam por pequenas cidades e por encantadoras paisagens rurais. No entanto, ainda que fossem as mesmas cidades e vilas que estavam acostumados a percorrer, seus prédios públicos exibiam nas fachadas bandeiras com as insígnias branca, vermelha e preta do partido, a suástica ao meio. O país fora contaminado pelo nazismo.

Hans, que durante os anos de escola se divertira nas excursões feitas com professores e colegas – judeus e não judeus – nas redondezas de Essen, agora não se sentia mais alemão. Era um pária. Apesar disso, foi uma das últimas crianças judias a deixar o ginásio, embora estivesse proibido de vestir o uniforme da Juventude Hitlerista que todos os seus colegas arianos deveriam usar. Era o único a assistir às paradas nazistas de roupa comum.

O menino levou um tempo para acreditar que suas origens pudessem ser razão de tamanho preconceito. A consciência de que fora banido de uma sociedade à qual sempre se sentira integrado se deu de maneira definitiva, certa tarde, durante o horário do recreio. Enquanto brincavam, um colega de classe, de quem fora amigo, o chamou de judeu imundo. Embora franzino, Hans atirou-se sobre o colega com toda a fúria, acertando-lhe o rosto com um soco. Também foi atingido e teve o septo entortado. Depois disso, deixou a escola e nunca mais concluiu o ginásio.

Com o histórico de violência nazista agravado pela brutalidade da Noite dos Cristais, os Stern estavam aflitos para encontrar Gustav em Nassau e trataram de ir para lá assim que possível.

Quando chegaram à casa, o portão do chalé estava trancado. O jardim, vazio e silencioso. Chamaram por Gustav e por Rosa. Não obtiveram resposta. Depois de algum tempo, viram uma mulher aparecer no patamar da escada. Perguntaram-lhe pelo proprietário. Ela lhes deu de ombros. Disse-lhes que quem vivia ali agora era sua família e que nada sabia dos antigos moradores.

Através de um vizinho, os Stern conseguiram contatar Rosa, que, aos prantos, contou que, na manhã do dia 11, depois da madrugada de terror, autoridades nazistas comunicaram a Gustav que a casa seria confiscada. De posse apenas de uma pequena mala, ele se despediu de Rosa e seguiu para o hotel de um amigo em Wiesbaden, deixando tudo para trás.

A família tomou o primeiro trem na estação e rumou para lá. Chegando ao hotel, o proprietário veio ter com eles. Tinha o rosto abatido. Pediu que sentassem e deu a notícia: Gustav não suportara a perda da casa, a violência da madrugada sangrenta e a realidade que tomara conta da Alemanha. No mesmo dia em que chegou a Wiesbaden, suicidou-se.

Naquele momento, os Stern compreenderam que chegara a hora de deixar o país. A civilizada Alemanha que conheceram, e que fora um dia considerada o país mais culto da Europa, havia enlouquecido.

capítulo II

Partida

Poucas pessoas se atreviam a ficar no convés do *Cap Norte*, o lento e austero navio da frota Hamburg Sud, naquela gelada manhã de fevereiro de 1939. Hans, com uma pesada capa cinza e um cachecol de lã, era uma delas. Vez por outra, tirava os óculos e limpava as grossas lentes de grau, embaçadas pela garoa fria e mais ainda pelas lágrimas que insistiam em cair, para avistar melhor o horizonte. Fazia alguns dias que haviam deixado o porto de Hamburgo e ele tentava adivinhar em que direção estaria a Alemanha. Os sentimentos do rapaz de 16 anos eram ambíguos. Se, por um lado, estava aliviado de se afastar do terror em que havia se transformado o seu país, por outro, havia a tristeza dolorida de ter deixado para trás família, amigos, o dedicado professor de música, o cão pastor do avô, a casa e tudo mais que ele aprendera a amar em sua curta existência. Hans pensava, com grande perplexidade, quanto mais o navio se afastava de sua terra, em como sua vida virara pelo avesso em apenas quatro meses.

Após os terríveis acontecimentos de novembro, com a violência generalizada contra os judeus, a destruição da empresa de Kurt e, mais doloroso que tudo, o trágico suicídio de Gustav, os Stern, bastante abalados, decidiram deixar a Alemanha o mais rápido possível. Kurt começou uma aflita perambulação por embaixadas em busca de um país que aceitasse recebê-los. Mesmo para os Stern, que tinham uma boa situação financeira, a tarefa era dura. Como Hitler havia transformado a vida dos judeus alemães em um flagelo, era natural que uma multidão de desesperados se aglomerasse nas portas das representações diplomáticas tentando conseguir vistos.

A disputa por esses documentos aumentara consideravelmente em razão da estratégia alemã de avançar sobre territórios vizinhos, como a Áustria e a Tchecoslováquia, submetendo esses países a tratados de protetorado humilhantes. Isso fez com que os judeus dessas nações – submetidos às mesmas políticas antissemitas – também fizessem de tudo para escapar. Em 1938, a Áustria e parte da Tchecoslováquia tinham sido anexadas ao Terceiro Reich, sem que a França e a Inglaterra movessem um dedo para impedir. As duas únicas potências então capazes de deter Hitler tentavam, equivocadamente, resolver por vias diplomáticas as reivindicações alemãs de recuperação de parte do território perdido na Primeira Guerra Mundial. Achavam que, dessa forma, poderiam evitar um novo conflito na Europa, apesar de Hitler ter dado inúmeras demonstrações de não ser confiável.

A mais flagrante delas fora em 1936. No dia 7 de março daquele ano, em completa violação ao Tratado de Locarno, destacamentos do exército alemão atravessaram o Reno e ocuparam as cidades de Colônia, Maiença e Treves, na região desmilitarizada da Renânia. O tratado, firmado em 1925 por França, Bélgica, Alemanha, Grã-Bretanha e Itália, estabelecia que aquela região, embora pertencente à Alemanha, seria uma espécie de território neutro,

1 O *Cap Norte*, navio com o qual a família Kamp Stern viajou ao Brasil.

2 Hans com o cachorro do avô materno, Albert Kamp.

completamente desmilitarizado. Em troca, a Alemanha ganharia assento na Liga das Nações. O pacto, assinado na cidade suíça de Locarno, embora afrouxasse as exigências feitas à Alemanha – impostas pelo Tratado de Versalhes após a derrota na Primeira Guerra –, dava garantias à Bélgica e à França de que não seriam atacadas em suas fronteiras. No entanto, naquela manhã, quando o exército de Hitler entrou na Renânia, a cidade francesa de Estrasburgo ficou no raio de ação dos canhões alemães. E, surpreendentemente, a França não opôs qualquer resistência. Uma vacilação da qual os franceses se lamentariam profundamente poucos anos depois.

Os judeus alemães que, ingenuamente, também se recusaram a acreditar que sua situação sob o regime nazista ficaria insuportável tentavam agora, às pressas, deixar o país. Muitos, como Gustav Stern, acreditavam não ter mais tempo. Para eles, não havia futuro fora da Alemanha, e o choque com a nova realidade fora tão terrível que preferiram o suicídio. No entanto, mesmo aqueles que enxergaram a tempo que a situação só se degradaria e trataram de emigrar tiveram dificuldade em obter vistos para qualquer país.

O governo de Franklin Roosevelt, por exemplo, fazia corpo mole para concedê-los por temer uma invasão de refugiados, o que poderia agravar a recessão em que os Estados Unidos estavam mergulhados. As embaixadas americanas eram orientadas pelo governo a restringir a concessão desses documentos para 10% da cota total de cada país.[3] Afora as questões econômicas, havia também o preconceito latente contra os judeus dentro da sociedade americana. Tanto que, após a Noite dos Cristais, quando a procura por vistos aumentou expressivamente, uma pesquisa de opinião da revista *Fortune* revelou que dois terços dos americanos consultados eram a favor de manter os refugiados fora dos Estados Unidos.

Aqueles que, como os Stern, optaram por ficar na Alemanha acreditando que a situação mudaria se deparavam agora não só com a dificuldade de obtenção de vistos, mas também com as exigências do

---

[3] Erik Larsson. *No jardim das feras*. Rio de Janeiro: Intrínseca, 2012.

governo alemão para deixá-los partir. Embora os nazistas estimulassem a saída dos judeus de seu território, quando a onda de emigração aumentou, o regime tratou de se aproveitar da situação. Os judeus que obtinham vistos só recebiam autorização para deixar o país após entregarem tudo que tinham ao Estado: fábricas, lojas, propriedades e até mesmo dinheiro depositado nos bancos. Assinados os papéis de cessão dos bens, recebiam um atestado comunicando que teriam quinze dias para abandonar a Alemanha ou seriam enviados para campos de concentração.[4]

No Rio, Alexander Kamp se esforçava ao máximo para trazer a família: a irmã, o pai, o cunhado e o sobrinho. Eram tempos difíceis também no Brasil, dada a simpatia de Getúlio Vargas pela Alemanha nazista. As embaixadas brasileiras, veladamente, haviam sido orientadas pelo governo a dificultar a concessão dos papéis. Mas os Burle Marx eram uma família influente e, após contatos com pessoas-chave, conseguiram que a entrada dos Stern fosse autorizada.

No começo de fevereiro de 1939, Kurt, Ilse, Hans e Albert Kamp receberam os vistos brasileiros. De posse deles, a família correu para cumprir todas as exigências de cessão dos bens. No dia 17 daquele mês, embarcaram no *Cap Norte* levando apenas pequenas malas com alguma roupa e 10 marcos cada um. Além da exígua bagagem pessoal, foram autorizados pela aduana alemã, após pagamento de uma taxa elevadíssima, a levarem alguns pertences: livros, um jogo de jantar de porcelana, móveis, roupas de cama e o acordeão de Hans. A mudança foi acomodada em três contêineres e despachada em um navio cargueiro para a Holanda, de onde seguiria para o Brasil.

No porto de Hamburgo, em meio a grande aflição e correria, escreveram uma carta endereçada aos amigos e parentes que ficavam, dos quais, pela urgência em dar conta de todos os trâmites de saída dentro do prazo, não tinham conseguido se despedir. Era um adeus doído e definitivo, assinado pelos quatro viajantes.

---

[4] Hannah Arendt. *Eichmann em Jerusalém*. São Paulo: Companhia das Letras, 1999.

Amados parentes, amados amigos,

Não somente o tempo envolvido na preparação para a partida, mas, principalmente, a dor da despedida nos impediram de dizer adeus antes da nossa viagem. O destino nos tirou de nossa pátria. Deixamos lugares que significavam muito para nós, nos separando de nossas lembranças.

Tudo isso é mais fácil de suportar do que a separação de pessoas a quem nós amamos e prezamos. As nossas lágrimas foram a forma de expressar a profunda dor da separação de vocês, em especial de todos aqueles que talvez nós nunca mais veremos. Vocês podem ter certeza de que ficarão em nossa memória e de que o nosso sentimento para com aqueles companheiros que ficaram nunca acabará. Desejamos a vocês, de todo o coração, todo o melhor e, à distância, estendemos as mãos para uma despedida.

Fiquem bem!

Hans, os pais e o avô Albert se surpreenderam com o *Cap Norte*. Embora pequeno, o navio era muito mais bem equipado do que eles imaginavam. O salão de jantar na primeira classe, onde viajaram, era bem decorado, com o chão revestido em carpete floral e mesas para quatro pessoas, com cadeiras de veludo. A comida, preparada por chefs de alto nível, era saborosa, e o atendimento, mesmo aos judeus, embora sendo um navio de fabricação e tripulação alemãs, atencioso e agradável. Para o garoto Hans, o único fato a lamentar era a grande presença de passageiros adultos e quase nenhum da sua idade para lhe fazer companhia. Boa parte dos embarcados, à exceção dos refugiados, dirigia-se à América do Sul em visita a parentes que haviam emigrado para o Brasil, o Uruguai e a Argentina, sem qualquer relação com a questão judaica. O *Cap Norte* fora construído pela Hamburg Sud, justamente para viagens ao continente sul-americano, e sua viagem inaugural ao Brasil fora em 14 de setembro de 1922, saindo de Hamburgo, com paradas em Vigo, na Espanha, e em Lisboa. Depois, seguiria para o Recife, passando semanas apenas entre céu e mar, sem um naco de terra à vista até aportar na capital pernambucana. De lá, rumaria para o Rio de Janeiro, Santos, Montevidéu e Buenos Aires, para, finalmente, voltar à Alemanha, rota que cumpria havia 17 anos.

Ali no convés gelado, com a Alemanha cada dia mais distante, Hans tentava imaginar como estariam seus amigos que, como ele, haviam deixado às pressas o país junto com as suas famílias. Era difícil acreditar que pessoas tão próximas dele estavam agora dispersas pelo mundo como em uma nova diáspora. Mais duro era especular sobre o destino daqueles que ainda não tinham conseguido emigrar.

Em Essen, Hans formava, com mais quatro amigos, um quinteto de fé. Arthur era um jovem moreno, de sorriso sedutor e sempre bem-vestido com suéteres, camisa polo e blazers bem cortados. Ted Gerson chamava atenção pelos grandes olhos azuis e farto cabelo escuro. Herbert Meyers, de rosto quadrado e cabelo revolto, tinha uma beleza máscula que combinava com seu gosto por cavalgadas. Possuía um belo cavalo, do qual cuidava carinhosamente. Finalmente Gordon Stern, Gerd para os amigos, era um jovem de olhar ingênuo e sonhador, que parecia saído das páginas de um romance. Gordon era irmão de Helga, a grande paixão de Hans, dois anos mais velha do que ele. Os dois se conheciam desde crianças, dado que as famílias eram vizinhas. Helga era uma jovem de ar angelical, pele muito branca, olhos de um azul quase transparente e cabelos castanhos ondulados que ela mantinha presos em um coque. Tinha um sorriso delicado, de dentes perfei-

Amigos de Hans deixados na Alemanha.

tos e uma leve timidez que deixava Hans enlevado. Aos 16 anos, ele declararia que ela era a paixão de sua vida e que nunca mais amaria ninguém como a amava.

A turma de amigas também era grande. A mais próxima dele era Úrsula, de grandes e vivos olhos negros. Havia ainda Eva, irmã de Helga, Ellen e Hanne. Esta última tinha um rosto infantil, emoldurado por cachos dourados. O sorriso de dentes separados lhe conferia um ar moleque. Hans não tivera tempo para despedidas, mas soubera que Arthur e a família haviam conseguido emigrar para a Inglaterra. Ted, para o Canadá. Gordon e a família, junto com Helga, iriam para os Estados Unidos, assim como Úrsula e a família dela. Herbert iria para a França. Do círculo mais íntimo, faltava ainda o embarque de Hanne com a família, que também obtivera visto francês. Outros companheiros, porém, ainda esperavam aflitos, nas portas das embaixadas, a obtenção do precioso documento.

Depois de passar por Vigo e recolher um grupo de animados espanhóis, o *Cap Norte* aportou em Lisboa. Hans se entretivera com a vista para a Torre de Belém – de onde partiram os descobridores no século XVI – e se surpreendera com a imensidão do rio Tejo, que parecia o oceano.

A viagem até ali passara depressa. Apesar do tempo nublado, o *Cap Norte* singrara sem sobressaltos as águas do mar do Norte até o Atlântico e deslizara suavemente sobre o Tejo até atracar no cais. A angústia dos primeiros dias havia amainado graças, em parte, aos companheiros de viagem, que, apesar da idade avançada, eram entusiasmados. Chegaram mesmo a eleger uma comissão de lazer que se incumbia de organizar festas e outras diversões que impediam o tédio.

A melhora do estado de espírito de Hans tinha a ver também com o clima. A temperatura havia subido e ele podia ficar mais tempo no convés. De qualquer forma, o *Cap Norte* tinha um excelente salão de estar, com confortáveis poltronas em tecido aveludado arranjadas de frente umas para as outras, com mesinhas no centro, onde ele jogava xadrez com o pai, lia ou ouvia as histórias do avô Kamp, que ele chamava de "pai" Kamp, e de outros passageiros que se reuniam para conversar.

Albert Kamp era um homem alto e esguio. O crânio liso, sem um fio de cabelo, o bigode louro e os olhos azuis por trás dos óculos de aros pretos e arredondados lhe davam um aspecto nobre e, ao mesmo tempo, de misterioso aventureiro. Em Essen, ele fazia parte da elite local e ocupava o tempo livre com festas, jantares e recepções. Em um desses eventos, em 1932, foi fotografado ao lado da mulher, Ina, elegantemente trajado de casaca e colete, sobre camisa e gravata-borboleta brancas, e um broche de pérolas espetado na lapela. Albert era uma figura respeitada na cidade. Seu ramo de negócios era uma fábrica de equipamentos para açougues, em sociedade com um dos irmãos. Com a chegada de Hitler ao poder, a fábrica encolheu e não mais existia quando deixaram a Alemanha. Ina morrera anos antes, deprimida com a nova realidade do país.

Ina e Albert Kamp,
avós maternos de Hans.

Os Kamp, nascidos Campos, tinham a sua origem em Portugal. Com a perseguição católica aos judeus, emigraram para a Holanda, onde adotaram o nome Kamp. Mudaram-se depois para a Alemanha, onde viviam desde o século XIX. Por isso, ao aportarem em Lisboa, Albert aguçou a curiosidade do neto contando histórias dos antepassados portugueses.

O *Cap Norte* deixou o porto lisboeta no começo de uma manhã de fevereiro e prosseguiu sereno em sua rota. Poucas horas depois, no entanto, o tempo começou a mudar. No final da tarde, Hans e o avô foram até o convés e repararam que o mar, além de muito agitado, ganhara uma tonalidade sinistramente plúmbea. Nuvens carregadas formavam-se no horizonte, e um vento forte e úmido emitia gemidos soturnos. Alguns tripulantes apareceram e sugeriram aos poucos passageiros que circulavam por ali que se abrigassem. Hans e Albert voltaram para o salão social, onde tentaram se distrair com conversas, já que a leitura ficara prejudicada pelo acentuado balanço do navio.

Uma forte tempestade os atingiu por volta das 20 horas, quando poucos comensais, entre eles a família Stern, se dirigiam para a sala de jantar. A maioria dos passageiros, mareada por causa do mar agitado, preferira ficar em suas cabines. Mas quem ousara entrar na sala de jantar logo se arrependeria. Ondas fortes começaram a desabar sobre o navio, chacoalhando-o violentamente de um lado para o outro. Copos, pratos e talheres voaram das mesas para o chão, que ficaria cheio de cacos de vidro e de comida espalhada. Muitos dos passageiros que tentavam deixar o local perdiam o equilíbrio e desabavam sobre os móveis.

Com o jantar arruinado, os Stern rumaram, tropegamente, para o salão de fumantes. Pai Kamp, que se acomodara confortavelmente em uma poltrona e, apesar do chacoalhar do navio, estava satisfeito, pois não sentia nenhum enjoo, viu-se de repente no chão, entalado entre os móveis. Uma onda mais forte fez com que as poltronas e as pesadas mesinhas se movimentassem em uma dança furiosa pelo salão. No esforço para levantá-lo, toda a família acabou no chão, e somente com ajuda de uma equipe do navio conseguiram retirá-lo do aperto em que estava.

Ao longo da madrugada, a situação se agravou. Ondas gigantes levantavam o navio com um forte puxão e depois o empurravam para baixo, mergulhando a proa no mar, como se a embarcação singrasse sobre uma pavorosa montanha-russa. Quando voltava a se estabilizar, um vento furioso jogava o navio para os lados. Em pouco tempo, camas e armários se desprenderam do chão, e os passageiros, imprensados pelos móveis, gritavam por socorro, tentando deixar os camarotes. Pai Kamp dessa vez se saiu bem e se manteve firme na cama, enquanto Ilse, Kurt e Hans rolaram para baixo das suas. No dia seguinte, passada a tormenta, os médicos do *Cap Norte* ficaram ocupados em tratar de membros quebrados e torcidos. E não havia um passageiro que não apresentasse manchas pretas e roxas pelo corpo por causa das luxações.

Mais tarde, Hans descreveria a experiência em uma carta para os amigos acrescentando um toque de humor.

> A viagem de Lisboa para a Madeira foi a única distração para os velhos marujos e uma experiência horrível para os outros. Enfrentamos uma tempestade de escala onze (apenas um grau abaixo de furacão), com ondas tão grandes e fortes que o comando marítimo temia que o navio pudesse adernar devido ao deslocamento da carga. Soubemos disso só bem depois. Nossa família, certamente apta a enfrentar as tempestades do mar, ultrapassou estas situações e a viagem sem qualquer incidente.

Após a passagem pela Madeira, o tempo esquentou bastante, o que fez com que os alemães, saídos de temperaturas gélidas, logo entrassem em sonhos e devaneios. Para Hans, a perspectiva de aventuras no seu novo país começava a superar a tristeza. O bravo *Cap Norte* seguiu seu rumo sem mais sobressaltos, sob um céu límpido e uma leve brisa a ondular as águas azuis do Atlântico até, finalmente, aportar no Rio de Janeiro.

capítulo III

Alumbramento

Quando o *Cap Norte* soltou o primeiro apito anunciando a sua entrada na baía de Guanabara, a maioria dos passageiros já se aglomerava no convés em uma alegre excitação. Todos estavam ansiosos para avistar o Rio de Janeiro, "a mais bela cidade do mundo", como apregoavam os folhetos de viagem. A manhã estava clara, e o céu, de um fino azul, compunha, com o mar de águas verdes transparentes, um cenário deslumbrante. Ilhas com vegetação exuberante despontavam, aqui e ali, quanto mais o navio se aproximava do porto. A cada instante, mais de mil braços se estendiam no convés apontando para a paisagem idílica. De repente, uma exclamação uníssona pareceu ecoar pelo navio: diante deles, a estupenda silhueta do Corcovado com o Cristo de braços abertos pousado no seu topo, como se pronto a um abraço. Era uma visão magnífica.

Hans ainda se recuperava da emoção daquele instante quando seus olhos vislumbraram uma enorme montanha de granito que, com seus flancos arredondados, parecia repousar no meio da enseada. O Pão de Açúcar, que ele vira tantas vezes em cartões-postais e sempre duvidara de que pudesse ser real, aparecia, brilhando ao sol, ao lado esquerdo da embarcação. O garoto foi tomado de tal encantamento que, naquele instante, teve a certeza de que seu destino estava irremediavelmente ligado ao Brasil e àquela cidade.

Em uma carta aos amigos, falaria do impacto que essas primeiras imagens lhe provocaram. Sua descrição do Rio de Janeiro à entrada do porto é a do viajante que se deparou com o paraíso. Registrou a beleza da cidade com o olhar maravilhado do estrangeiro.

> Primeiramente, algo sobre minha nova terra. Imaginem uma grande baía. Tão grande que todas as frotas do mundo entrariam nela confortavelmente. Esta baía grande é dividida em diversas baías menores e estas, por sua vez, em menores ainda. Tudo isto permeado por grandes montanhas e rochedos, em parte com florestas, em parte completamente descalvados. A cidade maravilhosa do mundo encontra-se entre essas baías e essas montanhas. Um quadro fantástico: entre as montanhas de verde claro, precipitam-se grandes quantidades de arranha-céus, entremeados por árvores gigantescas, palmeiras e outras plantas exóticas. As avenidas são esplêndidas e têm quatro ou cinco calçadas, ladeadas por palmeiras verde-escuro que estendem os seus leques sobre as ruas. Acima, como se fosse uma coroa, o céu tropical de um azul claro. É impossível descrevê-lo.

Em seguida, faz um curioso comentário para um jovem judeu.

> Tudo isto se pode apreciar na entrada conhecida pelo mundo inteiro, o porto que de maneira nenhuma me frustrou. Ao longe, a estátua do Cristo de dezesseis metros, erguida no maior rochedo, cumprimenta de braços abertos os visitantes. E, ao aparecer o símbolo do Rio, o Pão de Açúcar, sabia que não demoraria muito e eu seria um homem livre, uma emoção que não pode ser compartilhada depois de tudo que sofri.

Por causa da furiosa tempestade nas imediações da ilha da Madeira, o navio atrasara em um dia sua chegada, atracando no Rio de Janeiro em 9 de março. O porto carioca tinha uma agitação diferente do porto de Hamburgo. Lá, a dor da despedida. Aqui, a alegria da chegada. Quando avistaram Alexander – junto com sua mulher Gabriela e o sogro, Wilhelm Marx, que só conheciam através de fotografia –, os Stern e Albert Kamp também festejaram ao seu modo. Abraços contidos, mas profundamente emocionados. Após a confusão com o desembaraço da bagagem, deixaram o porto em dois carros. Hans embarcou no táxi ao lado do pai e de Marx, que fazia o papel de guia para os dois alemães que não conheciam uma palavra de português. Kamp e Ilse seguiram com Alex e Gabriela.

O táxi entrou na avenida Rio Branco, no Centro, ponto nevrálgico da cidade. Hans logo se surpreendeu com os altos edifícios que ele não imaginava encontrar no Brasil, misturados a prédios de arquitetura clássica como o Theatro Municipal, o Museu de Belas Artes e a Biblioteca Nacional. Achou o comércio luxuoso, as ruas largas e movimentadas. As calçadas fervilhavam de gente. A cidade pulsava. A arborizada praça Floriano, cercada por edifícios elegantes, era ladrilhada com pedras brancas e pretas em toda a sua extensão, formando diversos desenhos.

Ao final da avenida, que ele compararia aos bulevares parisienses, encontrava-se o imenso Palácio Monroe – com colunas brancas, cúpulas em bronze e dois grandes leões ladeando as escadarias. Hans soube tratar-se do Senado da República. O que mais o impressionou foi saber que aquele prédio fenomenal tinha sido, originalmente, o pavilhão brasileiro da Exposição Universal de 1904, em Lousiana, nos Estados Unidos. E que fora desmontado, trazido ao Brasil e reconstruído, naquele local, dois anos depois. Em volta do palácio, havia um magnífico jardim, que terminava, praticamente, na baía azul com o Pão de Açúcar pousado sobre ela. Que cidade no mundo se igualaria àquela?

Fazendo uma curva mais acentuada à direita, o carro entrou na avenida Beira-Mar margeada, de um lado, pela extensa mureta de pedra sobre a qual as ondas explodiam, espirrando uma espuma branca que quase tocava a pista. Do outro lado, o Passeio Público, seguido da imponente praça Paris, com jardins ao estilo do de Versalhes e um enorme lago no centro, onde chafarizes com esculturas de dois peixes esguichavam água. Naquela manhã ensolarada, um arco-íris formara-se no jorro das águas refletindo sua sombra no lago. Era tudo de um estonteante colorido. Hans e Kurt estavam extasiados.

Durante o trajeto, Wilhelm Marx chamava a atenção para novos pontos. A Igreja da Glória, branca e dourada, feito uma caixa de joias incrustrada no alto do outeiro. O luxuoso Hotel Glória, com seus balcões trabalhados em ferro negro, voltados para a baía. O palácio do Catete, onde ficava o presidente Getúlio Vargas. A praia do Flamengo. Tudo era tão esplêndido que Hans girava a cabeça de um lado para o outro de forma a não perder um detalhe. Havia tanta coisa para ver: os bem-cuidados jardins na frente das casas e dos edifícios, as enormes palmeiras e, junto àquilo tudo, a luz, o ar puro, o sol, a natureza exuberante, que o deixavam encantado. A cidade era linda!

Havia muitas outras coisas surpreendentes para ele. A mistura de raças, por exemplo. Hans, que nos últimos anos sofrera com o preconceito e as doutrinas racistas do nazismo, descreveria o Brasil de forma idealizada, com exagero de cronista.

> Pode-se ver todas as raças e matizes – negros, crioulos, mestiços, brancos, amarelos, vermelhos, marrons e todas as cores imagináveis. A praia é fabulosa, brilhando ao sol, cheia de homens e mulheres, sem problemas de classes e raças, tomando banho no mar azul-escuro do Atlântico Sul.

A cor – das pessoas, do mar, das flores, do céu – o atraía mais que tudo.

O carro finalmente parou na frente da chácara dos Burle Marx, no distante bairro do Leme, "situado fora da baía e perto do Oceano Atlântico". Assim que desembarcaram, Kurt e Hans sentiram o afago da brisa marinha e o perfume de frutas maduras: não o das maçãs e das framboesas do pomar de Gustav. Mas um aroma fresco, doce, completamente novo para eles.

Na entrada do casarão, Cecília, mulher de Marx, os recebeu de forma tão afetuosa que os emocionou. A casa era uma construção antiga, com uma varanda coberta por um telhado inclinado, semelhante à de uma fazenda. Não muito afastada, ficava a casa de Alex e Gabriela, pequena, mas confortável. Ficou estabelecido que Hans dormiria no bangalô de Cecília e Wilhelm, enquanto os pais e o avô ficariam em companhia de Alex.

Após terem se acomodado, foram visitar o imenso jardim dos Burle Marx, projetado pelo filho deles, Roberto, um rapaz de 30 anos que começava a se tornar famoso no Brasil. A chácara era vizinha à casa do já renomado arquiteto Lucio Costa, que incentivara Roberto a entrar na Escola Nacional de Belas Artes. Lá, ele se aproximaria de outros estudantes que também começavam a se destacar no cenário arquitetônico brasileiro: Oscar Niemeyer, Hélio Uchôa e Milton Roberto.

Após se formar, Roberto Burle Marx morara alguns anos em Recife, na cidade de sua mãe, cuja família, Burle Dubeux, tinha ascendência francesa. Lá, em 1934, fizera o seu primeiro projeto de parque público, chamando atenção para o seu trabalho por valer-se intensamente da flora nativa. Acabou sendo chamado de volta para a capital federal, dois anos depois, para projetar o jardim do terraço do prédio do Ministério da Educação e Cultura, no Centro do Rio. Tanto o prédio quanto o jardim com plantas tropicais logo se transformariam em um marco da arquitetura moderna brasileira.

Além de paisagista, Roberto passara a se destacar como um artista plástico de vanguarda, e suas pinturas começaram a chamar atenção de críticos e colecionadores de arte. Tudo isso Hans ouviu enquanto caminhava pelo jardim ao lado dos parentes. Afora Gabriela e Roberto – que morava em um aconchegante chalé próximo à casa principal –, os Burle Marx tinham mais três filhos: Walter, maestro que vivia nos Estados Unidos; Haroldo, advogado e dono de uma casa filatélica; e o caçula Siegfried, da mesma idade de Hans, que se tornaria seu grande amigo.

Durante o passeio, Hans soube ainda que Cecília era exímia pianista e que, após se casar com Wilhelm – um judeu alemão, dono de um curtume –, mudara-se para São Paulo e, depois, para o Rio. Cecília despertara nos filhos o amor pela música e pelas plantas. Mas Roberto, que desde pequeno cuidava dos jardins da casa junto com a mãe, plantando begônias, rosas, antúrios e uma infinidade de outras plantas, fora o único a dedicar-se profissionalmente ao paisagismo.

O jardim impressionava pela exuberância da flora tropical, com árvores e plantas que os recém-chegados nunca haviam visto. No final dele começava "a selva", como Hans se referira inicialmente à luxuriante mata atlântica, que eles só conseguiam penetrar usando facões. Na volta para a casa, ele reparou na piscina "fenomenal" alimentada por água de nascente. Foi então que soube que, naquele verão – o mais quente e seco dos últimos doze anos –, aquela piscina se transformara em uma bênção. E Hans logo tratou de atirar-se nela.

Os primeiros dias no Rio foram de puro êxtase. Ele levantava cedo, tomava café da manhã, experimentando frutas que nunca havia provado, e rumava para a praia, a poucos metros da casa, em companhia de Siegfried. Havia um grande movimento de banhistas, e Hans diria aos anfitriões que a praia lhe parecera tão movimentada quanto a do Lido, em Veneza, mas que, diferente da de lá, a quebra das ondas, embora estupenda, era também perigosa. Em carta aos amigos, depois de contar que morava ao lado de Copacabana, "a praia mais famosa do mundo", descreveria o fiasco do seu primeiro banho de mar no Leme.

> Fui derrubado por uma onda e quase não consegui mais levantar, pois o mar puxa muito. Ainda tenho um ombro deslocado, provocado pelo choque com o fundo do mar. Só se pode tomar banho em lugares determinados, marcados por bandeiras e postos, ou seja, torres de observação. A praia é dividida em seis postos distantes dez minutos um do outro. Pode-se escolher, pois a cada ano um ou outro posto fica na moda.

Os parentes eram simpáticos e acolhedores, e os Stern e Albert acharam os brasileiros de "grande educação e presteza". Com os Burle Marx, Alex e Gabriela, eles se sentiam em casa. Toda a novidade os encantava e Hans anotava detalhadamente suas impressões da terra nova:

> O brasileiro é sempre muito solícito. Sua mesa é farta, mas não convida a toda hora para comer mais. Não se faz tanto alarde com as visitas como na Alemanha. Você não é sempre o centro das atenções. Tenho que me acostumar, mas, na verdade, é muito mais agradável.

O calor era um problema para os ainda desaclimatados alemães. Sobre isso, Hans escreveu:

> Sinto-me como um aparelho de irrigação automático. Constantemente, e a intervalos regulares, descem gotas de suor pelas minhas costas. Dentro de casa usamos muito pouca roupa. Arrastamo-nos por aí e o consumo de água é enorme. Temos, infelizmente, escassez de água, de modo que banhos são muito reduzidos.

Para Kurt, a companhia de Wilhelm Marx não podia ser melhor. Como ele, o conterrâneo era culto, amante da música e da literatura clássicas. À noite, a vida na casa era uma alegria. Boas conversas, boa comida e, muitas vezes, o privilégio de ouvirem Cecília ao piano. Algumas vezes, iam atrás de informação sobre a Alemanha. Mas, naquele momento, no Brasil, o aumento da incivilidade na Europa ainda era assunto meio distante. De certa forma, isso era um alívio para os recém-chegados, que tentavam, naqueles primeiros dias no Rio de Janeiro, esquecer o terror dos últimos anos e recuperar a alegria de viver.

Experimentavam a sensação de estarem de férias, com sua rotina absolutamente repousante. De manhã cedo, iam à praia. Na volta, sentavam-se à sombra das frondosas árvores do jardim dos Marx e banhavam-se na piscina de água da nascente. À tarde, amolecidos pelo calor, deixavam-se ficar nas espreguiçadeiras da varanda, lendo ou conversando.

Hans, que se dera como tarefa ser o relator da nova vida, escrevia aos amigos e parentes dispersos pelo mundo.

> O clima não deixa somente os brasileiros cansados e moles, mas nós também, de modo que quase não somos capazes de realizar um trabalho. Por isso, vocês devem agradecer muito que escrevamos, gotejando de suor, tão longas epístolas. Não fiquem zangados, pois terminaremos por aí. Assim que o tempo se tornar mais fresco e suportável, relataremos mais sobre nossa vida e arredores. Esperamos que todos estejam bem. Saudamos a todos, com o pedido de que escrevam, em breve, sobre a vida de vocês.

Após sua primeira semana no Rio, os Stern mudaram-se para um apartamento vazio que pertencia à mulher de Alex, vizinho à casa dos Burle Marx. No apartamento havia apenas camas emprestadas pela família. Os móveis embarcados na Alemanha ainda não haviam chegado, e a previsão era de que os contêineres com a mudança levassem ainda certo tempo para serem liberados, dadas as formalidades alfandegárias. Mas a vida na cidade era deliciosa, passada quase o tempo todo ao ar livre. Portanto, nada os aborrecia.

capítulo IV

Uma experiência assustadora no paraíso

Na verdade, havia algo que para eles não se encaixava muito bem na tão prazerosa vida no Brasil: o trânsito do Rio de Janeiro. O Distrito Federal, naquele ano de 1939, tinha 1,8 milhão de habitantes, mas parecia concentrar todos os veículos do país. Os automóveis, tanto grandes quanto pequenos, os ônibus e os bondes davam, a eles, a impressão de estarem competindo entre si, nas ruas entupidas. Todas as vezes que tomavam um ônibus, Hans, Kurt, Ilse e Albert acreditavam que haveria um acidente, "devido à velocidade homicida e à falta de atenção a qualquer regulamento de trânsito". Com sua observação arguta, Hans escreveu: "Este movimento frenético se encontra em oposição à palavra constantemente usada pelos brasileiros: 'paciência'."

Para eles, embarcar em um ônibus ou em um bonde era uma aventura extremamente perigosa. O trânsito causara tal impressão nos bem organizados alemães, que Hans dedicou ao assunto algumas páginas das cartas que escrevia. A primeira vez que tomaram um ônibus foi assim descrita por ele:

> Quando andamos pela primeira vez no nosso automóvel brasileiro, ou seja, um ônibus, tivemos a impressão de que o mundo iria acabar. Ultrapassa-se pela esquerda, direita, onde se achar lugar. Os colossos de ônibus, sempre em frente, com sua parte superior balançando como se fosse roupa molhada açoitada pelo vento. O motorista, uma das mãos ao volante, era completamente indiferente, como se o trânsito que tomou extensões perigosas não tivesse nada a ver com ele. Quando possível, ultrapassava os automóveis ou outros ônibus pesados que, por sua vez, o enfrentavam, aumentando a própria velocidade. Dirigir um automóvel é, aqui, uma constante aposta de corrida com outro, somente interrompida, de vez em quando, pelo guinchar de freios que nunca recebem graxa. Enquanto nós, estrangeiros, morremos de medo, os brasileiros não se movem. Ficam lendo o jornal e olham, ao mesmo tempo, indiferentes pela janela. O ser humano acostuma-se a tudo.

O ruído excessivo produzido pelos veículos também lhe pareceu infernal. "Uma sinfonia de barulho que não poderia ser pior do que um finale de Tchaikovsky."

Havia algo naquele caos, no entanto, que ele achara um modelo de eficiência – a organização do pagamento das passagens:

> No ônibus não existe a figura do cobrador. Quando a pessoa entra, recebe uma pequena ficha, que, no final, devolve ao motorista para saber durante quanto tempo usou a condução. Ao descer, joga-se certa quantia dentro de um autômato, que por meio de um espelho mostra a importância paga. Nos pontos estrategicamente importantes, entra um trocador, carregando as diversas fichas no colete; para cada ficha, um bolso.

Hans Stern na praia de Copacabana, 1939.

Em sua avaliação, o mecanismo racionalizava o uso de pessoal e era uma das razões para o preço das passagens no Rio de Janeiro ser tão mais baixo do que em Essen. E fez suas contas. Por um trajeto que custaria 40 centavos em Essen, no Rio pagavam-se 12 centavos. Os bondes, conforme observou, eram ainda mais baratos. "Com 2 centavos anda-se muito", escreveu, acrescentando que havia, na cidade, setenta linhas de bonde e oitenta de ônibus.

Os bondes lhe causavam grande impressão, não apenas pelo preço e pela velocidade, mas também pela disposição dos bancos, na horizontal, o que facilitava a entrada e saída dos passageiros. Pelos seus cálculos, cerca de vinte passageiros podiam entrar e sair de uma vez só. Outra curiosidade era a forma como os passageiros se comportavam no bonde, o que também resultou em um extenso e bem-humorado relato. "Os homens, na maioria das vezes, ficam em pé nos estribos. Com uma das mãos, seguram-se e, com a outra, leem o jornal; com uma terceira mão indefinida, pagam a passagem (ou seja, um equilibrista) e ainda conseguem acenar para um amigo (diga-se, a namorada). Não sei como conseguem fazer tudo isso."

Em meio a todo aquele caos, continuou, "os brasileiros conseguem ser solícitos com os estrangeiros, ajudando-os inclusive a lidar com o dinheiro, as fichas e a indicação dos trajetos". Apenas uma vez tiveram dificuldade no trato com os nativos. Foi quando, por causa do calor, entraram no bonde em mangas de camisa. Logo foram abordados por um passageiro que saltou do final do bonde e, "num inglês horroroso", lhes explicou que só podiam entrar ali de paletó. "É verdade que não se vê ninguém sem paletó. Mesmo o mais pobre o usa. Não é muito confortável com o calor que faz aqui, mas outros países, outros hábitos."

◆

capítulo V

Ganhando o pão

Duas semanas haviam se passado desde a chegada dos Stern ao Rio de Janeiro, em 9 de março, e eles estavam ansiosos por encontrar meios de sobreviver na nova terra. Como saíram da Alemanha com pouquíssimo dinheiro, dependiam completamente de Alexander Kamp, o que os constrangia bastante. Mais ainda porque Alex não era rico. Ele tinha uma espécie de armazém, onde vendia carne enlatada e outros produtos em conserva. Foi lá que Hans, na pressa de trabalhar para ajudar a família, conseguiu seu primeiro emprego, tendo sido escalado para a parte contábil, lidando com números, dado que não falava quase nada de português.

Não só pela juventude, mas também pela companhia de Siegfried e de seus amigos, Hans se aclimatava rapidamente à vida na cidade. A língua nem sequer lhe parecia um obstáculo difícil de transpor, e conseguia trocar algumas palavras em português com a sua nova "turma", cujo ponto de encontro era, geralmente, na praia. Já para Kurt, a língua era um grande problema. Embora fosse um engenheiro qualificado, fora recusado em alguns testes de emprego por desconhecer o português, o que inviabilizava completamente o trato com os operários.

Aos 52 anos, Kurt, que já perdera duas empresas, teria que se reinventar. Mas não se lamentava por isso. Não era dado a sentimentos de autopiedade. Identificava-se com um poema de Bertold Brecht que dizia: "nos terremotos que virão, espero não deixar que meu charuto se consuma de amargura", que costumava vir à cabeça com certa frequência nos últimos tempos, quando soltava, com prazer, baforadas do seu charuto.

Kurt Stern era um homem miúdo, de pele clara, cabelos negros e olhos bondosos que pareciam sempre sorrir, mesmo que estivesse sério. Embora sua vida nem sempre tivesse sido fácil – e se tornara quase insuportável nos últimos anos –, era um otimista incorrigível, de modo que poderia recitar outro poema de Brecht, do qual também gostava muito, como se fosse ele quem o escrevera. "Esquecida toda a juventude, mas não os seus sonhos, esquecido há muito o telhado, mas nunca o céu sobre ele."

Kurt perdera a mãe cedo e fora criado pelo pai, Gustav, que, como ele e Hans, também tinha sido filho único. Talvez por ter um núcleo familiar tão pequeno, sua ligação, primeiro com o pai e depois com o filho, tivesse sido tão forte. Tinha com Hans uma relação de afeto, confiança e camaradagem. Eram inseparáveis e, por isso mesmo, desde pequeno, Hans circulava junto com o pai, entre os adultos, o que fizera com que o menino se sentisse à vontade entre os mais velhos, principalmente com o avô Gustav. Nas conversas em família, Gustav tinha por hábito puxar o neto para perto e abraçá-lo pelo pescoço, por cima do ombro, mantendo-se assim por um bom tempo, com o menino perto dele.

A erudição dos Stern era grande, e Kurt se preocupava em despertar no filho o interesse por tudo que ele considerava bom e belo: do jogo de xadrez à música clássica, da caminhada ao ar livre à literatura, das temporadas com os amigos na praia a momentos de solidão, porque, para Kurt, o equilíbrio entre o hedonismo e a contemplação ornava com a arte de viver.

Ele se orgulhava da Alemanha e de ser alemão. Admirava os valores cultivados por seu povo, como a música, a filosofia, a arte, a literatura.

E, mesmo se tratando de um pacifista, na Primeira Guerra se alistou no exército para lutar pelo país. Em uma foto, aparece em seu uniforme de soldado, embora nunca tenha ido para o front. Nessa época, usava um bigode que lhe cobria os lábios finos, sempre entreabertos em um sorriso.

Com Ilse, formava um par elegante. Ela tinha olhos azuis acinzentados e cabelos castanhos que mantinha sempre presos. Embora não fosse exatamente um modelo de beleza, Ilse chamava atenção pelo bom gosto. Apreciava moda e estava sempre bem arrumada. Na praia, usava sapatilhas com tiras cruzadas no tornozelo, maiôs listrados e uma sombrinha japonesa florida, criando um conjunto bastante agradável e ousadamente moderno. O filho e o marido eram suas obsessões. Era de tal forma ligada ao pequeno Hans, que o sufocava com seus cuidados. Isso muito tinha a ver com os problemas de visão do menino, que a faziam temer pela criança. De certa forma, Ilse se sentia culpada pela cegueira do filho. Na gravidez, tomara remédios fortes para combater uma infecção urinária, que acabaram por gerar a má-formação do feto. O pai, ao contrário, nunca se desesperou. Passava horas ao lado do menino orientando-o com exercícios oculares e pingando colírios que acabaram por lhe recuperar a visão de um dos olhos.

Na Alemanha, a vida do casal era boa e confortável. Moravam em um grande apartamento, em uma rua nobre de Essen, perto da histórica Sinagoga. Tinham um grande grupo de amigos, judeus e não judeus, com quem viajavam pelo interior do país, ou mesmo para a França e a Itália. No verão, o grupo costumava alugar um grande barco e viajar com as crianças para a ilha de Norderney. Ilse amava esses tempos, que considerava os mais felizes de sua vida.

Com o rosto colado à janela do pequeno apartamento do Leme, ela olhava indiferente para a paisagem tropical. Pensava, inconformada, em tudo que tinha sido obrigada a deixar para trás. Ao contrário do marido e do filho, para Ilse, a vida no Brasil não era agradável nem divertida. Com Kurt estudando o tempo inteiro e o filho trabalhando, ela tinha pouca coisa que fazer a não ser arrumar compulsivamente a casa ainda sem mobília. Desgarrada de toda a vida passada, estava aflita para conseguir pelo menos decorar o apartamento de forma a poder chamá-lo de lar. Precisava, desesperadamente, de um lugar no mundo. Mas os contêineres com a carga estavam retidos no porto.

Sem falar português, com quase ninguém com quem conversar, Ilse vivia das lembranças de uma vida que não mais existia ao partir. Queria a Alemanha de quando tudo era fácil e bom, fazendo-a sentir o chão firme sobre os pés. Repetia todo o tempo que não era possível que tudo tivesse acabado. Andava de um canto para o outro suspirando e, por fim, sentava-se em uma cadeira, escondia o rosto com as mãos e chorava. O marido não sabia como confortá-la. Não havia como trazer o passado de volta. Esperava que ela fosse compreensiva e se renovasse. Mas ela não tinha vontade de nada. Não suportava o calor, o barulho, a comida, as conversas. Não suportava nem a si mesma.

Hans, ansioso por adaptar-se à nova terra, exasperava-se com as eternas lamentações da mãe. No fundo, ele a condenava por não tornar as coisas mais fáceis para a família. Todos haviam vivido o mesmo inferno, estavam todos em frangalhos, mas ele, assim como o pai, acreditava que a única forma de sobreviver seria se atirar com esperança à nova vida.

Mas era justamente essa nova vida que Ilse não desejava. Como viver sem as suas referências? Como sobreviver se o mundo como ela conhecia havia desaparecido? Vivia em pânico permanente de perder as únicas pessoas que permitiam a ela se reconhecer. As únicas que justificavam a sua existência em um mundo ao qual ela não se sentia pertencente. Em sua desesperada carência, queria o filho sempre por perto. Porém, quanto mais ansiava pelo garoto, mais ele se afastava dela, preferindo a companhia alegre e relaxada do pai. Ela sonhava com a volta ao passado, ele olhava para o futuro. Ela flutuava sem ter onde se agarrar. Ele se cravava no chão. Eram formas de vida irreconciliáveis, e Hans foi cada vez mais se apartando da mãe.

Pai Kamp ouvia os lamentos da filha, tentava consolá-la e ousava dizer coisas banais como "tenha força, tudo vai passar". Mas ele mesmo sabia que aquela dor não passaria. Como ela, ele também se sentia inadequado. Tudo da Alemanha lhe fazia falta: os amigos, os parentes, a calma de Essen, o conforto de sua bela casa, o seu canto de leitura, o seu cão que não pudera trazer com ele, a comida, o aroma das maçãs e das framboesas. Aos 70 anos, Albert não tinha disposição para começar de novo. Via-se como uma árvore partida. As raízes ficaram enterradas no solo alemão, os galhos com suas folhas tinham sido arrastados para o Brasil. Mas, sem as raízes, não havia seiva. Os galhos se enfraqueciam.

Ele se sentia terrivelmente só ainda que cercado de gente. Embora morasse com Alex e Gabriela desde que chegara, isso o constrangia mais do que confortava. Temia ser um estorvo para o jovem casal. Mas para onde iria sem dinheiro, sem falar a língua? A sensação de dependência era tremenda para um homem que se preparara para um futuro tranquilo quando chegasse a hora de se aposentar.

Algumas vezes, Albert refletia se não fora um erro ter vindo para o Brasil. Talvez devesse ter agido como Gustav e tantos outros que desistiram de tudo. Mas não queria ser mais um judeu a se imolar. Não daria um tiro no peito nem se sufocaria no gás do fogão. Não daria esse gosto a seus inimigos. Haviam lhe tomado tudo, mas não lhe tomariam a vida. Enquanto tivesse forças, resistiria.

Sacudia então o crânio liso tentando afastar os pensamentos fúnebres. Mas não se livrava deles. Eles o acompanhavam chacoalhando a sua alma como se ela tivesse sido pega pela mesma tempestade que alcançara o *Cap Norte*, naquela sinistra madrugada. Só que, dentro dele, a noite de terror não acabava nunca. O tempo continuava sombrio e o sol se recusava a brilhar. Sabia que não veria mais a Alemanha que tanto amara e que o desprezara. Sabia também que o Brasil não lhe pertencia. E ele não tinha para onde voltar.

Hans e Kurt continuavam entusiasmados com a terra nova e disfarçavam a falta que sentiam do seu país fazendo planos. Kurt tratava de mostrar ao filho que eles haviam ganhado uma nova chance e tinham que aproveitá-la. Repetia que eram afortunados e, por isso mesmo, precisavam se esforçar para se saírem bem. Estava seguro de que, assim que se familiarizasse um pouco com a língua, conseguiria um emprego. E, se a condição era essa, ele iria dedicar-se ao máximo a seu aprendizado de português. Já Hans não estudava formalmente, não tinha aulas como o pai, porém, como se relacionava com muita gente, aprendia rápido. Em carta endereçada aos amigos, no dia 30 de março, relatou seu progresso nas primeiras semanas no Brasil.

> Neste intervalo de tempo já nos aclimatamos e acostumamos. A vida já transcorre mais regularmente e não há mais tantas novidades. Pela manhã e à tarde vou à loja do meu tio. Trata-se de um frigorífico, ou seja, traduzindo, uma casa de congelamento. Vendem-se aqui, além de conservas de carne, peixe, algumas frutas e, principalmente, carne, presunto cozido, frango e similares. A loja encontra-se no centro de Copacabana, um bairro residencial.

Depois, detalhou sua nova atividade, que provou ser muito mais intensa do que ele pensara inicialmente.

> Estou me familiarizando com o escritório. Além dos trabalhos regulares, tenho que fazer controles, estatísticas e relatórios retroativos há quatro meses antes da abertura do negócio. Um trabalhão que só devo terminar daqui a três ou cinco meses. Em breve terei que fazer também a contabilidade, de modo que sou office boy, primeiro e segundo contador ao mesmo tempo. Uma função que requer toda a minha atenção. Mas gosto do meu trabalho, mostram-me tudo e tenho uma atividade muito variada em se tratando de serviço de escritório. Certamente não ficarei para sempre, mas ainda não tenho clareza referente aos meus planos e previsões futuras. Meu pai estuda português o dia inteiro, pois sem este conhecimento não consegue fazer nada na sua especialidade. Lentamente consigo me entender com a língua. Aos poucos, estou, pelo menos, entendendo

> o que as pessoas querem dizer quando falam devagar. O ouvido tem que se acostumar. Inicialmente não entendia nada.

Parte da dificuldade em aprender o português era o fato de os nativos falarem rápido demais e "com um tipo de sotaque difícil de entender". Naquele ano de 1939, pelo menos no círculo social que a família passou a frequentar, o conhecimento de línguas era grande. Embora, provavelmente, muito menor do que Hans imaginava e chegou a relatar aos amigos.

> Consigo me fazer entender com o meu inglês. Perguntam-me, alternadamente, se estudei em Cambridge ou Oxford, pois as pessoas aqui são mais acostumadas com o inglês dos americanos, que falam muito diferente. Posso usar também os meus parcos conhecimentos de francês. Cada brasileiro razoavelmente instruído fala de uma a duas línguas, proporção maior do que na Alemanha.

O interesse dos amigos europeus – que naquele mês de abril amargavam um frio de rachar – pelas aventuras de Hans no exótico e ensolarado Brasil aumentava a cada dia. E o garoto, empolgado com sua condição de relator da rotina da família no Rio de Janeiro, transformava suas cartas em divertidas crônicas de costumes que levavam os amigos a imaginar que ele havia chegado à Terra Prometida. De certa forma, era assim que Hans enxergava. No seu caleidoscópio de emoções, tudo era vivo, colorido, luxuriante. Inclusive a comida que ele descreveu minuciosa e exageradamente:

> A comida aqui requer uma grande adaptação. Existem centenas de pratos, bebidas e frutas que não se conhecem na Alemanha, menos ainda os seus nomes. O modo brasileiro de cozinhar também é diferente. De um lado, comida muito mais condimentada e, de outro, muito mais doce. O prato nacional se chama feijão, ou seja, arroz com feijão-preto, que,

> inicialmente, é horrível, mas a pessoa se acostuma rapidamente. No Brasil não existe nenhuma refeição sem feijão. Hoje em dia gosto muito de comer feijão, e os brasileiros se alegram muito com isto. A comida é muito barata, sempre diversos pratos, mas tudo em uma única refeição. Admiro-me muito do que a cozinha brasileira oferece de variedade ao meio-dia e à noite. Pratos imensos com frutas de todos os tipos e tamanho (existem aqui cerca de duzentos tipos de bananas) servem à digestão. E um cafezinho, um pequeno expresso, finaliza a refeição. Enche-se a xícara, ou seja, um dedal, com açúcar pela metade, o que, contra todas as previsões, é ótimo. Poderia falar horas sobre a qualidade e o sabor e, principalmente, sobre o baixo preço das plantas e das frutas, mas não quero que vocês, pobres europeus e norte-americanos, fiquem com água na boca. Façam uma visita e convençam-se.

Naquele começo de abril, ele não tinha ideia de que, dentro de pouco tempo, uma visita através do Atlântico se tornaria impossível.

capítulo VI

High Society

Em meados de maio, os Stern foram avisados de que os contêineres com a mudança vinda da Alemanha estavam liberados no porto. Finalmente, poderiam arrumar o apartamento. Depois de certa

burocracia para a retirada da carga, embarcaram os caixotes em um caminhão e os levaram para casa. Ilse estava ansiosa para rever suas coisas, mas o desfecho foi desapontador. Ao abrirem a carga, descobriram que a maior parte dos móveis e das louças estava destruída e os espelhos só existiam aos cacos. Dos duzentos pacotes cuidadosamente embalados na Alemanha, apenas vinte estavam intactos. Cada caixa aberta era uma nova decepção e mais um gemido de agonia de Ilse. Kurt e Hans estavam arrasados, embora muito mais por causa dela do que pelo estrago na mudança. Na verdade, a parte do carregamento que eles aguardavam com mais ansiedade – a biblioteca da família, que incluía uma coleção de livros raros e o acordeão de Hans – chegara intacta. Mas sabiam que aquele seria mais um duro golpe para Ilse, já abatida por tantas perdas.

Tentaram consolá-la lembrando que ainda faltava um contêiner a ser entregue; portanto, ainda havia coisas a serem resgatadas. Coube a Alex desfazer as esperanças da irmã. Ao cobrar dos funcionários da alfândega o restante da carga, foi avisado de que ela tinha se extraviado ainda na Holanda. Para aumento do desconsolo, o seguro estava vencido e não fora renovado. Não tinham como apelar por uma indenização.

Foram dias de choro e lamentação, mas, aos poucos, Ilse se conformou. Como não havia nada que não estivesse danificado, corroído ou destruído, eles levaram alguns dias para recuperar o que podia ser salvo: algumas cadeiras, um sofá e uma mesa com o pé quebrado. As louças estavam perdidas, mas as cortinas, as roupas de cama, as toalhas bordadas, embora cheias de traças, sobreviveram à viagem. De certa forma, aqueles caixotes eram uma metáfora da vida deles: parte em ruínas, parte tentando manter-se firme. Com o que restara da mobília, arrumaram o apartamento, que logo ficou em condições de receber visitas. E foi isso que Hans tratou de fazer: convidar os brasileiros para uma festa.

A ideia partiu de Siegfried, que chamou alguns dos seus amigos e amigas para conhecerem a casa de Hans e lhes darem as boas-vindas oficiais. Sua apresentação à "society carioca", como Hans definiu o evento, ocorreu em uma noite fresca e foi relativamente animada. Na verdade, ele ficou um tanto decepcionado com as cariocas, pelos seus reduzidos dotes intelectuais. Em uma carta aos amigos, descreveu detalhadamente a primeira recepção no seu apartamento.

"Ontem à noite, realizou-se a minha entrada na society dos jovens. Siegfried convidou, mais ou menos em minha honra, alguns de seus amigos. Não se trata de convite como na Alemanha. Aqui na praia todo mundo se conhece mais ou menos bem e ninguém faz grandes histórias. Fala-se com algumas moças e rapazes e pergunta se querem aparecer. Juntam-se assim alguns 'convidados'", frisou, imaginando o efeito que aquela nota sobre informalidade brasileira não causaria em seus conterrâneos. E continuou:

> De vez em quando, aparece também alguém que não foi convidado e acho isso um ótimo costume. Em resumo, apareceram cerca de vinte a trinta homens e mulheres entre 14 e 29 anos. Em conjunto, tiramos tudo do quarto e cada um se sentava onde achava

> lugar. Como na Alemanha, comia-se, conversava-se, brincava-se e flertava-se. Mas a brincadeira, *grosso modo*, foi um evento médio em comparação às nossas "dancing parties". Dançamos também e isso foi tudo. As conversas, como pude observar, também não eram grande coisa. Tenho que cumprimentar as nossas moças que ultrapassam, de longe, as propriedades intelectuais das criaturas femininas daqui, o que quer dizer muito (para nós homens). Todos os esforços não conseguem tirar uma palavra destas moças, que parecem mais manchas de pintura e vidros de perfume. Oferecem somente um sorriso mais ou menos charmoso.

A decepção com a falta de assunto das brasileiras foi compensada pela desinibição delas na hora da dança. Hans observou, na carta, que tanto as mulheres como os homens no Brasil dançam muito bem. E explicou que se dançava uma dança chamada "samba maxixe, parecida com a rumba, mas muito mais cansativa". No quesito dança, o autoconfiante alemão saiu-se mal, conforme admitiu: "É muito difícil e eu, duro, pareço um pedaço de pau." A festa acabou à meia-noite, com um rápido mergulho na piscina da casa dos Burle Marx.

Naquele agradável mês de maio, que já deixara para trás o calor insuportável do verão, não era o seu début na society carioca o que mais o animava. Na sua curiosidade juvenil, Hans descobrira que a casa filatélica de Haroldo, um dos filhos dos Burle Marx, não era um negócio qualquer. Haroldo era considerado um dos maiores colecionadores de selos do Brasil. A descoberta o encheu de contentamento. Desde pequeno, Hans amava os selos e tinha uma boa coleção, que, por sorte, tinha conseguido resgatar no meio da bagagem estropiada que chegara da Holanda. Mas era uma coisa muito pequena, amadora e, pelo que ouvira das conversas, Haroldo tinha um enorme acervo com uma imensa quantidade de raridades.

Havia, porém, um grande obstáculo a emperrar o contato imediato de Hans com o meio parente: Haroldo não se dava com a família.

Na verdade, havia rompido com todos eles e, segundo o tio Alex lhe confidenciara, fora um desgosto para os Burle Marx. Hans não soube a razão da briga, mas isso pouco lhe interessava. Buscava desesperadamente uma forma de encontrar Haroldo. Sabia que precisava ter muita cautela para não ser descoberto. Temia que essa aproximação causasse constrangimento para todos e que fosse vista pelos Burle Marx como uma traição ao desejo deles de se manterem afastados do filho.

Após uma cuidadosa investigação, Hans conseguiu o telefone de Haroldo e iniciou um duro trabalho diplomático de aproximação. Foi recebido por ele somente após inúmeros e insistentes pedidos. Mas o esforço valeu a pena. No primeiro dia em que entrou na casa filatélica, Hans não coube em si de contentamento. Ficou tremendamente impressionado com o que vira. Em uma imensa sala, sobre doze escrivaninhas mal distribuídas, amontoavam-se montanhas de selos, papéis, catálogos, livros, pinças, tudo em uma enorme confusão. Em cada uma das mesas havia um selecionador de selos examinando com lupa uma boa quantidade de pequenas estampas. Estavam todos tão concentrados no trabalho que não notaram a presença de Hans e o quanto ele os observava.

Acostumado com as casas filatélicas da Alemanha, onde os selos eram arrumados em gavetas, selecionados por nome, por país, por data, por importância, de forma a serem rapidamente encontrados, Hans ficou espantado de ver como Haroldo e seus funcionários conseguiam se achar no meio daquela bagunça. "Foi o quadro mais alegórico de confusão e desordem que já vivi", registrou.

As paredes da loja eram tampadas até o teto com montes de caixotes, álbuns, sacos de papel e selos. Praticamente não havia armários no local. Nas cadeiras também ficavam empilhadas uma fortuna em selos. "Uma verdadeira Sodoma e Gomorra", Hans escreveu, chamando a atenção especialmente dos amigos Herbert e Arthur, colecionadores apaixonados como ele. Quando Hans comentou com Haroldo sobre a arrumação caótica, ouviu do chefe e dos empregados que eles achavam qualquer coisa na hora que quisessem. Logo em seguida, a informação seria contraditada. Haroldo queria mostrar-lhe um selo especial, mas apesar de ele e da metade da equipe terem se posto a procurar intensamente pela peça, não a encontraram. "That's Brazil", registrou Hans. O negócio, ainda assim, ia muito bem, segundo lhe informaram os funcionários.

Embora tivesse sido convidado por Haroldo para começar a trabalhar lá imediatamente, Hans não aceitou a oferta por causa de seu trabalho no armazém. Haroldo lhe fez, então, uma contraproposta, conforme registrou:

> O chefe parece ter muita confiança nos meus conhecimentos, pois me mandou chamar no dia seguinte para saber se, nas horas vagas, eu tinha interesse em catalogar uma imensa coleção de selos do mundo inteiro. Tratam-se só de selos de luxo. Estou completamente doido.

E assim fez. Pela manhã e à tarde, trabalhava no armazém do tio. À noite, dedicava-se à filatelia. Pouco tempo depois, completamente tomado pelo trabalho, passou a se dedicar somente aos selos.

A casa filatélica ficava no primeiro andar de um casarão velho no Centro da cidade, em uma rua pequena e estreita. Não havia vitrines, e quem não soubesse que ali se vendia selos jamais teria a ideia de procurá-los naquele prédio escuro. Em um canto, próximo à mesa de Hans, trabalhava um desenhista e, no outro, alguém, estranhamente, tentava montar um modelo de avião, sem qualquer relação com as estampas. Do lado de fora, vinham "guinchos horríveis em todas as oitavas de rádios de uma loja de conserto de rádios". Hans se impressionava com o barulho da rua, principalmente o produzido pelos carros, que chegava até eles.

> Os automóveis gritam, literalmente. Um quadro colorido, aliás, colorido demais não só para os olhos, mas também uma sinfonia cintilante para os ouvidos. Mas é impressionante como a pessoa consegue se acostumar rapidamente com tudo isso. Trabalho

> hoje em dia com a mesma calma como se nada estivesse confuso e tudo estivesse na maior paz. Naturalmente, isto não aconteceu de estalo. Durante os primeiros dias, a cada minuto eu balançava a cabeça e a segurava com ambas as mãos. Oh, este Brasil com sua ordem.

Com seus conhecimentos de filatelia, em pouco tempo Hans foi nomeado gerente do departamento de organização interna, criado para ele, com dois funcionários à sua disposição para tentar ordenar o caos. Hans passava praticamente o dia inteiro na sua mesa organizando, separando, arrancando, colando, destruindo e montando. Estava tão ansioso por arrumar toda a coleção que, muitas vezes, se esquecia de almoçar. Trabalhava de oito a dez horas por dia, fora as quatro horas que perdia com o transporte de ônibus e bonde para ir e voltar do trabalho. "Sinto-me em meu elemento e posso mexer o dia inteiro com selos. Meus colegas são simpáticos e decentes. O tempo trará mudanças. Os métodos comerciais são completamente diferentes da Alemanha", contou. Segundo a sua avaliação, a filatelia no Brasil ainda se encontrava em estágio inicial.

Apesar disso, o interesse dos brasileiros por selos naquele final de década era enorme. Colecionava-se tudo, principalmente selos bonitos. A especulação também era grande, conforme registrou Hans. "Qualquer um especula e compra somente coisas que acha que vão subir de preço. A loja, portanto, tem que atender a esta tendência." A casa filatélica tinha também as chamadas "séries bonitas" aos milhares, que vendiam "como se fossem pão", conforme registrou. Já os ricos compravam somente coleções e selos caros, e a exportação para os Estados Unidos era o negócio mais rentável da firma. "Temos aqui quantidades de selos aéreos, principalmente aqueles de valor muito alto que podem ser utilizados nos outros países, sobretudo nos Estados Unidos. Quase todos os dias, envio um grande pacote para lá", escreveu.

Mas Haroldo não se limitava a comprar coleções importantes a preço de banana e mandar para os Estados Unidos, o maior mercado para selos naquela época, dada a confusão na Europa. O filatelista tinha encontrado uma forma um pouco menos convencional e não muito regular de aumentar seus lucros. Com o apoio de um amigo na Casa da Moeda, que imprimia os selos no Brasil, Haroldo conseguia selos sem picotes, em cores diferentes e outras falhas que eram exportados para os Estados Unidos como raridades, embora fosse apenas falha de impressão.

O frenético movimento da loja era revelador de quanto o negócio de selos era lucrativo tanto no Brasil quanto fora. "Recebo mais de cem chamadas telefônicas e tenho mil coisas para fazer", contou Hans, acrescentando um toque de ironia. "Escrevo a correspondência em inglês e alemão, tenho de consertar a calculadora, reparar um curto-circuito, ou seja, nunca tenho tédio, pois, mesmo se o meu trabalho não aumentasse, teria o que fazer nos próximos cinco anos. Quem pode vir me ajudar?"

Seu fascínio com a beleza e o colorido dos selos, que ele considerava obras de arte em miniatura, aumentava a cada dia. Por isso, apesar do trabalho intenso, Hans estava feliz e chegou a dizer aos amigos que estava seguro de que, algum dia, abraçaria a filatelia.

> Trata-se de um estado ideal, o que não acreditava nem nos meus melhores sonhos, e ainda por cima ganho bem. Mas é um trabalho imenso. Já trabalhei durante vinte horas nas duas primeiras séries da França, estou fazendo uma coleção carimbada que ainda levarei tempo até terminar. Este trabalho me dá muito prazer e só me separo com muito pesar destes tesouros quando tenho que dormir, aliás, algo que tenho muito reduzido. Não faz mal, espero que por muito tempo continue assim.

Para seu desconsolo, não continuaria. Mas Hans não podia imaginar que o gosto pelos selos coloridos, apurado ali, na caótica casa filatélica, influenciaria tremendamente o seu futuro.

capítulo VII

Um jogo de futebol

Uma notícia ocupava os jornais brasileiros em maio de 1939. A reviravolta no caso dos irmãos Naves. Os dois humildes agricultores de Araguari, no interior de Minas Gerais, estavam presos desde 1937, sob a acusação de terem assassinado o primo deles, Benedito Caetano, de quem eram sócios. A versão que levara Sebastião e Joaquim Naves à prisão era de que tinham matado o primo para ficar com o dinheiro da venda de sacas de arroz. O crime, no entanto, nunca fora comprovado, e o corpo, jamais encontrado, mas os irmãos tinham sido barbaramente torturados pelo tenente Francisco Vieira dos Santos, um delegado militar, escalado para cuidar do caso. A brutalidade estendeu-se à mãe dos rapazes, Ana Rosa Naves, de mais de 70 anos, estuprada na frente dos filhos para que eles confessassem o crime, coisa que os dois jamais admitiram. Advogados importantes, compadecidos com o drama dos irmãos, passaram a defendê-los e o caso ganhava cada vez mais destaque na imprensa.

Em março, Joaquim e Sebastião Naves foram absolvidos pelo júri por seis a um. Como não houve unanimidade, a promotoria apelou e um novo julgamento foi marcado para julho. Hans tentava entender o caso que rendia discussões apaixonadas em todos os lugares aonde ia. Seriam os irmãos Naves culpados ou inocentes? Mas o que mais chocava o jovem alemão eram as histórias de tortura contra os presos. Aquela violência não combinava com o temperamento afável do brasileiro. Os amigos lhe explicaram que, desde 1937, com a decretação do Estado Novo, o Brasil, como a Alemanha, vivia em uma ditadura e era praticamente impossível enfrentar a polícia do Estado. A repressão política também era violenta. A polícia agia de forma truculenta contra os socialistas, comunistas e qualquer oposicionista ao governo de Getúlio Vargas. Muitos desses opositores estavam presos, e eram comuns as denúncias de tortura nos presídios.

Os crimes passionais eram outra particularidade brasileira que intrigava Hans. Ele se impressionava como os jornais noticiavam diariamente agressões contra as mulheres perpetradas pelos seus maridos, amantes e namorados. E não se conformava com o fato de esses casos violentos serem chamados de "crimes de amor". Quanto mais conhecia o Brasil, mais surpreso ficava com a grande contradição que via no povo: sutil e, ao mesmo tempo, brutal. Em uma carta aos amigos, escreveu:

> Cada vez, aprendo algo sobre esta cidade e as palavras não são suficientes para descrevê-la, assim como as pessoas. Os brasileiros, como eu já tive a ocasião de escrever, são muito bondosos e hospitaleiros. Se você souber lidar com eles, fazem tudo para você. Prestativos demais. Mas não conseguem esconder o seu sangue latino. Em todos os lugares onde não existem preços fixos, temos que pechinchar. E isto nós temos que aprender, pois o pessoal daqui tem um jeito todo especial. Durante as pechinchas, dificilmente sai uma briga e, no final, todo mundo recebe tapinhas nas costas. Aliás, um cumprimento muito usado entre amigos. Já consigo dar tapinhas nas costas como se fosse brasileiro e não tenho mais consciência da graça dessas situações.

Em seguida, explicou aos amigos que a gentileza e a delicadeza eram tão parte do caráter nativo quanto a passionalidade. "Como todo sul-americano, o brasileiro é muito temperamental", escreveu. "Todos os dias os jornais trazem dramas de amor, incluindo morte e homicídio."

Para um povo com essas características, Hans observou, nada melhor do que um grande campo onde possa extravasar seu temperamento. Este campo era o de futebol, onde todas as paixões e fúrias poderiam rebentar, não só do lado do jogador, como da torcida. Esta foi a análise que ele fez após assistir à sua primeira e única partida, em uma ensolarada tarde de domingo.

Hans reproduziria sua experiência em uma divertida narrativa cheia de floreios. A odisseia começou quando ele e seu pai foram convidados por um amigo para assistir a um jogo de futebol entre dois grandes times cariocas. A partida começava às 16 horas, mas, por precaução, o trio chegou à bilheteria do estádio por volta das 14 horas.

> Entramos numa fila quilométrica e esperamos entre pessoas que suavam e gritavam sob um sol fortíssimo por cerca de duas horas e meia para entrar. Mas se vocês acham que conseguimos as entradas, estão muito enganados. Conseguimos, finalmente, bilhetes cem por cento mais caros através de um cambista e, por isso, quase fomos dilacerados pelas pessoas que se encontravam por perto.

Com o jogo já começado, eles chegaram à entrada do estádio, cercada por aproximadamente cem soldados "de todas as cores e armas". Hans lançaria mão de seu fino senso de humor para descrever a experiência.

> Primeiramente, tivemos que passar por vinte atletas que estavam portando metralhadoras e outras armas pesadas. Depois fomos revistados por mãos horrorosas, a fim de verificar se portávamos armas. Com um longo "aha" tiraram de mim o binóculo, que foi apre-

> ciado com olhos arregalados e passado para a frente. Quando, finalmente, foi verificado que o instrumento era inofensivo, pudemos entrar.

Entrar, segundo Hans escreveria, não era a palavra mais adequada à situação.

> Fomos empurrados por debaixo das tribunas como se fôssemos salsichas quentes. A luz do dia estava muito longe, algumas vezes vimos um rastro luminoso, pois as entradas estavam literalmente entupidas de pessoas. Como queria ver alguma coisa ou, pelo menos, respirar algum ar fresco, tomei coragem e tentei chegar perto das aberturas. Consegui chegar, com muitos empurrões, onde pude ver o céu, mas repentinamente também vi estrelas, pois desmaiei. Um homem teve a petulância de cair na minha cabeça. Felizmente tive mais sorte do que no dia 10 de novembro.

A baderna do estádio, para o comportado jovem alemão, parecia sem fim. Quando finalmente conseguiu engatinhar para fora da aglomeração, foi "recebido por certo líquido estomacal que em alemão começa com k [vômito]. Mas não fui a única pessoa. Tudo estava sujo e tinha um brilho amarelo". Retirou-se enojado, "fedendo horrivelmente". Toda aquela confusão se dera ainda no primeiro tempo e ele estava agoniado com a perspectiva de encarar novo espetáculo nos 45 minutos seguintes. A aventura parecia mesmo não ter fim.

> Conseguimos, finalmente, por meio de artimanhas, gorjetas e piscando o olho, chegar ao nosso lugar. Pelo menos, vimos de vez em quando a bola.

Do ponto de vista da assistência, as coisas, em um primeiro momento, pareceram melhorar. Hans registrou que os jogadores jogavam muito bem e eram muito rápidos, mas também muito temperamentais. Pela descrição que viria a seguir, a partida se assemelhou muito mais a uma luta de gladiadores romanos do que ao inofensivo esporte bretão.

> A toda hora se carregava um jogador para fora do campo, os torcedores sangravam. De dois em dois metros esperavam soldados com macas e, mais ainda, policiais e militares com cassetetes de borracha. Achava que tudo terminaria sem briga, mas tive muita sorte. O juiz, pouco antes do final do jogo, decidiu algo de que a outra equipe não gostou, pois o time se jogou como se fosse um só homem em cima dele, que não foi mais visto.

O drama ainda não era suficiente e Hans prosseguiu.

> De todos os lados se juntavam torcedores e teve início uma briga muito feia. O imenso estádio virou uma caldeira do diabo, onde se ouviam todas as tonalidades de gritos, berros e uivos. A polícia entrou em atividade e conseguiu separar, com a ajuda dos cassetetes e de alguns tiros dados para o ar, os brigões. Como alguns jogadores não conseguiam nem ficar em pé, interrompeu-se o jogo. Foi muito interessante observar as pessoas durante estas cenas. São como crianças grandes que, uma vez soltas, passam por cima de tudo. Mais tarde ouvi dizer que é normal que um jogo de futebol se desenvolva assim. Podia ter sido pior e algumas pessoas mortas fariam parte da ordem do dia.

Na Europa, no campo político, a civilidade também perdia para o destempero. As cartas que Hans recebia dos amigos em troca de seus divertidos relatos sobre suas aventuras brasileiras davam conta de que todos estavam em uma agônica expectativa. A perseguição aos judeus, aos socialistas e aos comunistas aumentara em níveis intoleráveis tanto na Alemanha como nos países ocupados do Leste Europeu. Na Itália de Mussolini, o quadro também era de brutalidade contra os que ousavam questionar o regime. Na União Soviética, os expurgos de Stalin enviavam centenas de milhares de russos para campos de trabalho forçado na Sibéria e, dali, para a morte. Para os refugiados no ensolarado Rio de Janeiro, parecia impossível que tudo estivesse ainda pior do que quando partiram. A Europa iniciara sua célere caminhada para o caos.

capítulo VIII

Uma morte

Na manhã do dia 11 de julho de 1939, Albert Kamp capitulou. Caiu morto de um ataque cardíaco, aos 70 anos, na casa de Alex e Gabriela, logo após levantar da cama. Kamp e seu angustiado coração desistiram da vida. Não tinham interesse naqueles novos e tristes tempos. A família despediu-se do seu último patriarca com uma cerimônia simples, na qual compareceram alguns poucos conhecidos. Pelo menos para Albert, a carta que enviaram de Hamburgo aos parentes e amigos antes de deixarem a Alemanha soava como uma premonição. Ele nunca mais os veria.

Com a morte do avô Kamp, Hans encerrava mais uma etapa na sua vida. Passados alguns dias do enterro do pai, Ilse e Alexander tiveram um sério desentendimento e pararam de se falar. O relacionamento entre os dois irmãos tornou-se inviável e Kurt achou melhor deixarem o pequeno, mas confortável, apartamento do Leme, pertencente à mulher de Alexander. Não havia clima para continuarem ali. Sem dinheiro para alugar um apartamento, mudaram-se para um quarto de pensão na rua Almirante Gonçalves, em Copacabana. Para se sustentar, tiveram que vender os livros da sua preciosa biblioteca. A livraria Kosmos, no Centro, tornou-se uma grande compradora daquelas obras, sobre temas variados – de romances e ensaios filosóficos a tratados científicos.

Essa não seria a única mudança que Hans enfrentaria. Nesta mesma ocasião, Kurt foi convidado para dirigir uma usina hidrelétrica em Parnaíba, no Piauí, local que, para os Stern, equivalia ao fim do mundo. Kurt aceitou a proposta por absoluta falta de opção. Com seu português precário, tinha dificuldades em se empregar e não podia se dar ao luxo de recusar trabalho.

Para Hans, a separação do pai foi extremamente dolorosa. Os dois eram muito próximos. O filho achava o pai uma alma generosa, com uma tocante fé na vida. Fora o pai quem lhe transmitira valores como respeito ao próximo, lealdade e capacidade de resistir. Com Kurt, Hans aprendera a apreciar a vida, a música, a poesia e a literatura e a jogar xadrez. E, mais que tudo, aprendera a ver. O pai não era só o seu porto seguro, mas um amigo fiel e um companheiro de todas as horas, com quem sabia poder contar. Separar-se dele era como perder um pedaço de si.

A partida de Kurt significava também que, dali em diante, Hans, com apenas 16 anos, teria que assumir grandes responsabilidades. Além de tomar conta da sua vida, teria que olhar pela mãe, uma tarefa penosa dado que Ilse, desde a vinda para o Brasil, alternava momentos de severa depressão com terríveis crises nervosas.

No Brasil, os pequenos grandes dramas continuavam a se desenrolar. Os irmãos Naves tinham sido julgados novamente em meados de julho e, desta vez, condenados a mais de dez anos de prisão. O caso seria conhecido como o maior erro da história do judiciário brasileiro e só reparado muito tempo depois, quando um dos irmãos já havia morrido de desgosto. O primo, que eles haviam sido acusados de matar, na verdade, estava vivo e ficara com o dinheiro que os Naves tinham sido acusados de ter roubado. Na Europa, a fúria nazista tornava o mundo cada vez mais sombrio. Hans estava triste.

capítulo IX

Guerra

Às 5h40 do dia 1º de setembro, tropas alemãs derrubaram as cercas da fronteira ocidental e invadiram a Polônia. Poucas horas depois, a notícia corria o mundo. No Brasil, os jornais vespertinos já traziam a notícia estampada em suas manchetes, e um sentimento de consternação tomou conta do país, apesar de muito distante do epicentro da batalha. No quarto de pensão em Copacabana, Hans e Ilse ficaram em choque com a notícia. O que aconteceria agora com a Alemanha e toda a Europa? Na manhã de 3 de setembro, tiveram a resposta. A Inglaterra e a França, em cumprimento às garantias dadas à Polônia de que ajudariam na sua defesa caso o país fosse atacado, declararam guerra à Alemanha. Começava a Segunda Guerra Mundial.

Entre os judeus refugiados no Brasil, havia uma preocupação a mais. Como o governo brasileiro reagiria? Se aliaria abertamente à Alemanha no conflito ou continuaria a manter a cínica neutralidade, já que era clara a simpatia de Getúlio Vargas por Hitler? Em caso de aliança com os alemães, o que lhes aconteceria? O temor era pertinente. Em 1936, o governo já havia entregado a jovem judia alemã, Olga Benário Prestes – casada com o líder comunista brasileiro Luís Carlos Prestes –, ao governo nazista. Assim que desembarcou em Hamburgo, Olga foi presa pela Gestapo, a temida polícia nazista, e enviada para um presídio feminino, onde continuava desde então. Sua filha, Anita Leocádia, nascera na prisão e fora entregue à avó paterna.

Embora sua deportação tivesse se dado por razões políticas e não raciais, o fato de o Supremo Tribunal Federal ter aceitado expulsar uma judia alemã, grávida de um brasileiro, aumentara a apreensão entre os refugiados judeus. Todos se sentiam vulneráveis. Em 1939, a presença de judeus refugiados no Brasil era pequena, cerca de 1.500, o que mostrava que a cota do país era ridiculamente baixa. Hans registrou esse dado em uma carta aos amigos na Europa, onde milhões de judeus ainda aguardavam ansiosos por vistos para fugirem da perseguição nazista. "Nós nos perguntamos por que esta cota se encontra numa relação tão ridícula com o tamanho e as possibilidades do país."

Sua explicação para o problema estava no temor do governo brasileiro de que os judeus ocupassem os postos de trabalho dos nativos.

> Dos judeus imigrantes, 99% vão para as duas grandes cidades, Rio e São Paulo. Isso seria, tratando-se de um aumento expressivo do número de imigrantes, uma situação insustentável, pois tirariam trabalho e pão das pessoas naturais do país, como já acontece em alguns ramos do comércio, antiguidades, metais preciosos e pedras. Tentou-se, então, deixar entrar imigrantes sob a condição de que se estabelecessem no interior ou nas cidades pequenas. A prática mostrou que, devido à imensidão do país, o que dificulta o controle, esses imigrantes conseguem infiltrar-se nas grandes cidades.

Nos meios políticos e diplomáticos, especulava-se como Vargas reagiria ao conflito. Os informes das embaixadas diziam que uma das principais razões para o governo não ter rompido com as potências aliadas e dado seu apoio à Alemanha era a grande dependência econômica dos Estados Unidos e da Inglaterra. Hans, que acompanhava a vida brasileira pelos jornais e em conversas com amigos, impressionava-se com a fragilidade da economia do país porque, em sua opinião, "o Brasil poderia prover o mundo inteiro com tesouros minerais, poderia alimentar com suas regiões de terras férteis toda a humanidade. Poderia... se quisesse. Mas não quer". Sua opinião para a dificuldade de o Brasil se transformar em uma potência era a falta de recursos para sustentar seu desenvolvimento. A saída vinha sendo tomar financiamentos externos, o que acabava por aumentar a dependência estrangeira, como já ocorria na América Central. Outra barreira, ele registrou, era a precariedade da educação tanto básica quanto superior.

Desde o começo dos anos 1930, o governo tentava impulsionar o crescimento industrial para compensar a drástica queda no preço do café, principal produto de exportação do país. E uma das notícias mais alvissareiras dos últimos tempos fora a descoberta, em janeiro de 1939, do primeiro poço de petróleo na cidade de Lobato, na Bahia. Naquele mesmo mês, o governo havia criado o Departamento de Imprensa Nacional, o DIP, que fazia propaganda descarada dos seus feitos. Comemorava-se a possibilidade de haver no país uma grande reserva petrolífera, o que colocaria o Brasil em outro patamar econômico. Ao mesmo tempo, a descoberta do petróleo, que tomara conta das páginas dos jornais, era também motivo de preocupações. Temia-se que, com a guerra, as potências envolvidas esticassem os olhos para o Brasil em busca do combustível.

No final de 1939, porém, nenhum dos países envolvidos no conflito estava minimamente interessado no Brasil. No gélido inverno europeu, a guerra parecia em banho-maria. Os aliados – a Inglaterra e a França –, embora tivessem declarado guerra formalmente, ainda não tinham se disposto a atacar a bem armada Alemanha. O mundo estava em compasso de espera, embora para os poloneses e toda a população judaica do Leste Europeu a vida já tivesse se transformado num inferno.

No agradável calor brasileiro daquele começo de dezembro, Hans não pensava unicamente no conflito no continente onde ficaram seus melhores amigos e muitos parentes. Ele vivia seu próprio drama. Estava apaixonado por uma colega de trabalho: uma morena de cabelos anelados e lábios carnudos, alguns anos mais velha do que ele. O romance, porém, nascera condenado. A moça era namorada de Haroldo, patrão dos dois, e eles sabiam que, se fossem descobertos, a história acabaria mal para ambos.

Os dois costumavam fazer longos passeios pela praia, tomavam sorvete e iam ao cinema. Em suas caminhadas, costumavam parar em algum dos tantos bares da cidade para tomar "cafezinho", do qual Hans se tornara grande apreciador: "Um café tão forte que são necessárias imensas quantidades de açúcar." Ele relatou em carta: "Cinco vezes durante o dia, saboreio muito o meu cafezinho e, grunhindo muito, cheiro-o com o volume total do meu nariz e, quando quero aumentar ainda mais o meu prazer, penso no café miserável da Alemanha." O café e a namorada eram seus grandes prazeres naquele final de dezembro.

A passagem do ano de 1939, no entanto, foi um tanto melancólica para Hans. Ele e a mãe viraram o ano sozinhos, no quarto de pensão. Com Ilse e Alex estremecidos, eles não podiam mais frequentar os Burle Marx. O pai em Parnaíba também era um desconsolo para o rapaz. Mas, apesar de tudo, ele estava esperançoso com a nova década.

capítulo X

Carnaval

Era quase carnaval. O primeiro que Hans passaria no Rio de Janeiro. Fazia um calor de rachar e ele acompanhava fascinado o frisson dos moradores da cidade com a perspectiva da chegada da festa naquele fevereiro de 1940. O impacto com o que viu foi tão grande que ele fez um relato jocoso do evento em uma longa carta aos amigos que penavam no gélido inverno de um continente em guerra. Para eles, os relatos de Hans pareciam vir de outro planeta, tamanha a distância que separava aquelas duas realidades.

> Existem, certamente, poucas cidades onde um acontecimento é tão ansiosamente esperado como o carnaval do Rio. Ansiosamente esperado é a expressão certa, pois a cidade já vive, nas semanas anteriores, cheia de esperanças e alegrias antecipadas.

Foi com graça e perspicácia que ele descreveu, para "o estrangeiro que nunca participou do carnaval, um quadro da cidade nestes três dias". Tinha certeza de que aquilo tudo impressionaria os amigos tanto quanto a ele, e tratou de fazer uma narrativa cinematográfica para que eles pudessem se desligar da tragédia e se transportar para o Rio de

Janeiro, pelo pouco tempo que durasse a leitura da carta. A primeira coisa que lhe chamou a atenção foi a mudança no cumprimento entre as pessoas bem antes de a folia começar. "Além do 'bom dia' ou 'até logo', junta-se outra frase: 'Está animado para o carnaval?'"

Em quase um ano de Brasil, ele já tinha pleno conhecimento da organização social do país e, para os amigos, explicaria que mesmo no carnaval, a festa mais popular da "cidade maravilhosa do mundo", ficava clara a marcante desigualdade entre classes. Por toda a noite, ele podia ouvir o batuque das baterias no alto dos morros. Coube aí a ressalva de que, no Rio de Janeiro, morro tinha outro significado, além de acidente geográfico.

> Morro é a designação abreviada para os morros entre os quais encontram-se a cidade, e onde moram, de modo primitivo e deplorável, os pobres e eremitas, quase na mata. Já os cidadãos do baixo, principalmente a juventude esnobe da grande cidade, reúnem-se para decidir que fantasia vão usar e de que baile podem participar.

A cidade estava vestida para festa e as vitrines, contou ele, impressionado, estavam todas decoradas com artigos carnavalescos, principalmente as lojas de fazenda, que faziam grandes negócios com trajes e sedas, o que se tornara, de certa forma, um problema para ele. "Ninguém mais compra selos porque todos economizam para o carnaval."

Quando o dia finalmente chega, "a ansiedade atinge o seu ponto máximo", e Hans, mesmerizado, descreve a festa com um desmedido colorido, dando a impressão de que o Rio vivia um delírio tribal.

> O carnaval abate-se sobre a cidade como um temporal. As ruas ressoam com a gritaria das massas de carnavalescos que andam por aí. Grupos mascarados e fantasiados em todas as partes gritam, dançam e entram em êxtase com o ruído dos tambores, que nunca para.

No Centro da cidade, ele assistiu aos blocos passarem e escreveu que quase não se conseguia caminhar. O samba e o ritmo das marchas "soam intermitentemente de todas as gargantas, alto-falantes e das janelas, e conseguem fazer da pessoa mais séria um delirante. Nos carros atulhados, meio malucos, foliões sentam-se uns por cima dos outros gritando até que a garganta não possa mais. Oitenta e quatro horas de inferno e maluquice".

Na sua narrativa, nos bailes dos clubes, a loucura era a mesma, revelando o caráter primitivo dos nativos.

> Supõe-se que se dance nesses bailes, mas aqui no Rio não é assim. Claro que uma orquestra toca uma música horrorosa trinta vezes, tudo sem pausa, durante cinco horas. E, na roda de dança, parece que ficaram malucos, mexendo extasiados todos os membros, correndo em círculos e cantando os textos das músicas. E que texto! "A vida de casado é boa, mas a de solteiro é melhor."

Ao fim de três dias, Hans deixou-se contagiar pela "epidemia carnavalesca". E ironizou que, "como inglês", ganhara uma entrada para um baile e deixou-se levar por seus instintos.

> No primeiro dia achava engraçado, mas no segundo dia já sentia algo dentro de mim e entreguei os pontos. A atmosfera dos três dias e quatro noites é carregada de selvageria, soltura e liberdade, algo do qual não se consegue escapar.

A sensualidade tornava a festa "picante" e para ele ficava clara a razão de tantos estrangeiros de todos os cantos do mundo virem participar da folia e saírem impressionados. Após três dias, já completamente tomado pela folia, Hans diria que a única coisa desagradável era o calor excessivo, de 40 graus na sombra. Por isso mesmo, a letra de uma das marchas de maior sucesso naquele carnaval dizia assim: "Allah-lá-ô, ôôôôôô. Mas que calor, ôôôôôô."

A longa carta descrevendo o carnaval carioca seria a última que ele enviaria aos amigos. Em 1940, a Alemanha começaria a bombardear a Inglaterra. Com os oceanos se transformando em campos de batalha, a troca de correspondência ficou inviável.

Em maio daquele ano, Hans sofreria seu próprio baque. Ao descobrir o envolvimento do jovem com sua namorada, Haroldo o demitiu da casa filatélica depois de um tremendo bafafá. O sonho de abraçar a filatelia como meio de vida acabava ali. E começava, sem que ele tivesse planejado, sua entrada no universo das pedras preciosas.

capítulo XI

Pedras raras

Hans ficou inconsolável com a demissão da casa filatélica. Perdera, de um só golpe, a namorada, os selos e o seu sustento. O dinheiro que o pai mandava de Parnaíba viabilizara a mudança, dele e da mãe, da pensão onde moravam, para um apartamento de quarto e sala na agradável travessa Santa Leocádia, em Copacabana, e cobria a maior parte das despesas. Mas o salário que ele perdera, de 300 mil-réis, algo em torno de 15 dólares, embora pouco, ajudava a complementar os gastos da casa e iria fazer muita falta. Por isso, ele logo tratou de procurar uma nova colocação.

Não ficou muito tempo desempregado. Através de recomendações de alguns conhecidos, conseguiu trabalho na Cristab S.A., uma empresa de exportação de cristais de rocha e de pedras de cor, algo que, para seu desalento, lhe parecia muito distante dos seus amados selos. Mas como precisava com urgência de dinheiro, aceitou a oferta sem titubear.

O dono da Cristab era Francisco D'Aboim, um aristocrata português que, embora pertencente à elite lisboeta, tinha sido vendedor de motocicletas da filial brasileira da Mestre & Blatgé, uma rede de lojas de departamentos francesa. D'Aboim acabou se casando com a filha do presidente da rede no Brasil, o francês Louis La Saigne, que, com o estouro da guerra, temeroso de que o negócio viesse a sofrer represálias caso o governo Vargas se aliasse aos alemães, sugeriu à matriz trocar o nome para Mesbla, as iniciais do nome original. Anos depois, após o crescimento espetacular do negócio, La Saigne compraria a Mesbla dos franceses e a transformaria numa empresa 100% brasileira.

D'Aboim, que nunca se dera com o sogro, preferiu abrir seu próprio negócio. Na Cristab, Hans trabalhou inicialmente como datilógrafo e responsável pela correspondência internacional. O trabalho estava longe de fasciná-lo como na casa filatélica, mas aprendeu muito na burocracia do escritório, tratando, inclusive, da tramitação das exportações. Hans era um exímio datilógrafo graças ao pai, que o fez aprender datilografia aos 12 anos. Tinha aulas quase diariamente na empresa de Kurt, onde uma diligente secretária, Fräulein Bartels, ensinava o garoto a usar os dez dedos sem olhar o teclado.

Em uma época em que era difícil encontrar no mercado brasileiro pessoas com inglês e alemão fluentes além de um francês bastante razoável – conhecimentos fundamentais para uma firma exportadora – e uma datilografia irretocável, Hans logo se transformaria em peça-chave da empresa. Como entendeu por conta própria e rapidamente a burocracia da Cristab, logo foi promovido a gerente. Seu maior aprendizado, no entanto, conforme registrou em suas anotações pessoais, "foi principalmente em como não fazer as coisas, pois D'Aboim não tinha o mínimo tino comercial, nem psicológico".

Na verdade, ele aprenderia muito mais do que simplesmente não repetir os desatinos do patrão. Satisfeito com o temperamento sério e responsável do rapaz, além de sua enorme curiosidade, D'Aboim decidiu encarregá-lo também de comprar pedras e cristais para a empresa. Nesta função, Hans voltou, de certa forma, a se sentir no seu elemento, como ocorria com os selos.

Ao embrenhar-se pelo interior do país em busca de pedras para exportação, foi se maravilhando com a variedade e o colorido daqueles minerais que ele nunca imaginara que pudessem existir. Para quem achava que o mundo das pedras se limitava a diamantes, rubis e esmeraldas, a descoberta de uma infinidade de pedras de cor, de nomes tão diferentes como turmalinas, topázios, águas-marinhas e ametistas, foi um encantamento. Hans passou a selecionar, analisar e comparar as pedras, aprendendo a distinguir as mais bonitas, as mais perfeitas, as mais valiosas, exatamente como fazia com os selos, e isso o entusiasmou bastante.

O escritório da Cristab funcionava no distante bairro do Rio Comprido, na Zona Norte carioca. Sem dinheiro para ir de ônibus ao trabalho, Hans tinha que tomar o bonde que fazia um trajeto interminável de Copacabana até a empresa, o que o obrigava a sair da cama quase de madrugada. Por isso decidiu, para desconsolo da mãe, alugar um quarto vizinho ao escritório, onde ficava de segunda a sexta, voltando para casa nos finais de semana. De certa forma, sentia-se aliviado de não ter que conviver tanto com Ilse, que, com a ausência de Kurt, estava ainda mais deprimida e ansiosa, ocupando a cabeça do rapaz com suas queixas intermináveis.

A vida na empresa corria sem sobressaltos. Certa tarde, no entanto, ao retornar do almoço, Hans deparou-se com uma enorme confusão. Desde a entrada, podia ouvir os gritos do patrão. Funcionários circulavam assustados pelos corredores. Hans soube, ainda no corredor, que D'Aboim se dera conta de que haviam falsificado sua assinatura em vários cheques e, furioso, estava chamando vários empregados à sua sala na tentativa de descobrir o falsificador. Obviamente, só ouvia negativas.

D'Aboim não tinha saída: ou descobria o culpado ou demitia todo mundo. Ter um falsificador de assinaturas entre eles significava um grande risco para a firma. Já que o método do interrogatório não funcionara, D'Aboim decidiu contratar um grafólogo para desvendar o caso. Hans achou graça. Para ele, aquilo era mais uma das patacoadas do patrão e tinha certeza de que não levaria a lugar algum. Mais fácil seria chamar a polícia. De qualquer forma, Hans estava louco de curiosidade com a novidade. Para ele, tudo aquilo era um espetáculo. Quase como se convocar um alquimista para transmutar metais inferiores em ouro na frente deles.

Na manhã em que o grafólogo apareceu na Cristab, houve uma agitação entre os funcionários. O sujeito magro de rosto comprido e nariz pontudo era português e se chamava Roberto das Neves. Não apenas a sua figura, mas também a sua história de vida era curiosa. Roberto era um líder maçom e anarquista. Lutara na Guerra Civil Espanhola, fora preso várias vezes pela ditadura de Salazar, em Portugal, até ser obrigado a fugir para o Brasil em razão das perseguições políticas. Tinha inclinações intelectuais, e suas críticas à Igreja e ao autoritarismo, tanto de direita quanto de esquerda, chegaram a ser publicadas em livros.

Quando perguntado sobre suas posições políticas, dizia-se um socialista libertário. A versatilidade de Das Neves parecia inesgotável. Entendia de um montão de coisas que, para a maioria, soariam estranhas. Era, por exemplo, adepto do vegetarianismo, coisa rara naqueles tempos, e um empedernido antitabagista, com estudos publicados sobre ambos os temas, em que detalhava as vantagens da dieta sem carne e alertava para os malefícios do fumo. Além do mais, era grande conhecedor de esperanto, a ponto de ser coautor de um dicionário português-esperanto, esperanto-português.

Na Cristab, Roberto das Neves pôs-se a examinar as letras de vários funcionários que poderiam ter falsificado a assinatura de D'Aboim. Após alguns dias de minuciosa análise, apresentou o nome do culpado. Ao ser confrontado com o patrão, o funcionário confessou o crime. Hans ficou impressionadíssimo com a eficiência do grafólogo e, embora continuasse não considerando a técnica uma ciência, passou a acreditar que, através dela, era possível determinar as tendências de caráter, ajudando, dessa forma, a separar pessoas corretas daquelas com propensão a desonestidade.

Hans não ficaria mais muito tempo trabalhando para D'Aboim. Mas a grafologia teve profundo efeito em sua vida.

capítulo XII

Presente de aniversário

No dia 1º de outubro de 1940, Hans completou 18 anos. Em menos de dois anos, tanta coisa acontecera em sua vida que ele tinha a impressão de terem se passado décadas. Era como se tivesse pulado da infância para a vida adulta sem escalas. Talvez até mesmo por isso não estivesse preocupado com comemorações. Na verdade, passara o dia melancólico. Aquele era o seu segundo aniversário no Brasil, e o que mais o entristecia era pensar que, pela segunda vez, não poderia festejá-lo ao lado do pai. Kurt havia partido para o Piauí havia mais de um ano e, desde então, só se comunicavam através de cartas. Sentia muita falta dele, das suas conversas, da sua coragem e alegria de viver.

A vida de Kurt na longínqua Parnaíba não era fácil. Uma cidade pequena, com pouquíssimas pessoas com quem conversar em alemão, e ganhando pouco, apenas o suficiente para viver e sustentar a mulher e o filho no Rio com o mínimo de decência. Ele, porém, nunca se queixava. Tinha feito alguns amigos e gostava de ajudar a comunidade onde vivia com seus conhecimentos de engenheiro. Chegara a projetar um prédio para um vizinho. Ali, na pequena Parnaíba, virara uma simpática autoridade. Mas estar longe do filho em uma data tão especial o deixava triste. Semanas antes do aniversário de Hans, pôs-se a escrever uma carta com "alguns conselhos para a vida", como ele diria ao filho. Ao voltar para casa, no dia do seu aniversário, Hans encontrou o envelope com a carta pousado sobre a mesa. Um presente de tamanha sensibilidade e delicadeza que ele o guardaria para sempre.

Parnaíba, 26 de agosto de 1940

Meu querido Hans, meu filho, meu amigo, meu fiel camarada das horas difíceis,

No seu último aniversário já me encontrava em Fortaleza e agora, em 1º de outubro, você já vai fazer o segundo aniversário que não podemos festejar em conjunto. Temos, porém, a esperança legítima de que poderemos estar juntos no próximo. Muitas esperanças realizam-se, por que não também esta? Meu próprio aniversário nunca me parecia um dia de significado especial. Não obstante, não gostaria de passá-lo fora do círculo dos meus parentes ou outras pessoas simpáticas. Não sei como você pensa sobre isto. Seja como for, infelizmente, não é possível que eu possa contribuir com algo para este dia.

É um hábito bonito de se presentear um aniversariante com alguma coisa, a fim de alegrá-lo. Não posso contribuir com nada este ano. A importância pequena que lhe remeto deve ser o símbolo de minha boa vontade, e desejo que você a use como quiser. Só posso me limitar a alguns conselhos para a vida. A maioria dos jovens defende a opinião de que as pessoas mais velhas não devem dar conselhos. Quando, alguma vez, citei o meu velho amigo Peter Altmeyer, que disse "É curioso que os jovens sempre começam onde os velhos também começaram, ao invés de começar de onde os velhos pararam", você ou algum outro jovem me respondeu: "Naturalmente, pois os jovens têm o ímpeto de fazer tudo por si próprios, a fim de chegar aos conhecimentos da exatidão dos seus caminhos."

Por causa disso, gostaria de lhe oferecer somente algumas diretrizes, estimulado por um ditado de Goethe: "A vida, seja como for, é bela." Você sabe que sou otimista em relação à vida. Sempre tive alegria de viver e continuo assim, apesar de tudo o que me aconteceu. Olhando, assim, para a minha vida, tenho que registrar que esta minha opinião me auxiliou muito em conduzir minha existência, nem sempre muito fácil, dentro de um percurso suportável.

Com 10 anos, não obstante, também não possuía princípios claros como hoje, com 53 anos. Você poderia ser uma exceção e abraçar as minhas experiências, não se deixando abater pelas desavenças do mundo, mas, sim, chegar comigo e o velho Goethe à conclusão de que a vida é bela. Mas apenas a convicção não é o suficiente, precisamos criar as condições prévias para tal. Temos que nos educar para que estejamos, em todas as situações, em todas as coisas, satisfeitos. Isto é fundamental para que possamos achar a vida bela.

Porém, não podemos esquecer a ambição de subir e melhorar a situação. Esta ambição, que não tem base na insatisfação, é sempre coroada de sucesso, mesmo com aparentes insucessos. Vale a pena eliminar, em todas as situações, os acontecimentos desagradáveis e fazer aparecer os agradáveis. Contente-se com tudo e experimente achar o lado engraçado da situação. Aja espontaneamente somente quando as coisas forem boas e, fora disso, com reflexão e retardo. A honestidade e as atitudes decentes sempre devem vir em primeiro lugar, mesmo que, ao primeiro momento, pareçam desvantajosas. Não se aborreça se outras pessoas usarem o seu bom caráter em sua própria vantagem, mas alegre-se, pois você conseguiu continuar honesto e decente. Seja econômico, mas não mesquinho! Não deixe que o dinheiro se torne o seu tirano! Domínio de si próprio em todas as coisas! Não deixe que nada se torne fanatismo! Nós, os humanos com certa instrução intelectual, necessitamos, para a verdadeira alegria da vida, de outra ferramenta, ou seja, da cultura e do aperfeiçoamento intelectual.

Agora você vai dizer, respeito as suas palavras, mas não tenho tempo para o aperfeiçoamento intelectual, tenho que trabalhar. Com isto, consegue-se apenas reduzir o tempo – azar –, mas a ambição nunca deve enfraquecer. Esta esperança e a confiança firme nunca nos devem deixar, nem mesmo nas piores horas. Já falamos muito sobre isso, e acredito que ambos concordamos que não há o que dizer mais. O ser humano é um ser social, não passa sozinho pela vida. Convive-se com outras pessoas, depende-se de outras pessoas, estamos entrelaçados uns com os outros. Estude as pessoas, tente analisá-las. Precisa-se de uma longa prática. Aprenda sobre as suas más qualidades, mas alegre-se com as suas boas qualidades. Todo mundo as tem. Se você conseguir se tornar um bom conhecedor dos homens, evitará desilusões, não ficará mais aborrecido com aqueles que lhe fazem maldades.

Mas reflita também que temos que representar algo para os outros, a fim de fazer amigos. Amigos e amigas também fazem parte da vida daquele que não quer passá-la como um eremita, mas sim como um homem saudável, natural, que se alegra com a vida. Portanto, não esqueça nunca de pensar sobre como poderá alegrar outra pessoa, seja pela personalidade, sociabilidade, camaradagem ou solicitude.

Para um homem da sua idade, que se encontra em constante desenvolvimento, um ano significa muito. Não posso, portanto, julgar como e se você mudou neste ano de separação. Por este motivo, só posso me limitar, hoje, a conselhos gerais, talvez um pouco impessoais, mas na esperança de que você os aceite. Fortificarão, então, a sua vitalidade e a sua alegria. O conhecimento de que a vida é maravilhosa e a vontade de torná-la bela ajudarão você a ultrapassar as muitas horas desagradáveis que não são poupadas a ninguém. Tomara que esta filosofia de vida, além da saúde, se tornem o fundamento do seu caminho. São estes os meus desejos pelo seu aniversário.

◆

capítulo XIII

Prisão

Às 19h30 do dia 14 de fevereiro de 1942, um avião sobrevoou o cargueiro *Buarque*, que navegava na costa da Carolina do Norte, nos Estados Unidos, e lançou um sinal luminoso demarcando a posição do navio. Pouco depois, um submarino alemão emergiu, submergindo em seguida. O *Buarque* estava em viagem desde janeiro e voltava para casa após ter desembarcado uma carga de café e de outros produtos no porto de Nova York. Embora singrasse iluminado e com a bandeira do Brasil pintada nos seus dois bordos, deixando claro tratar-se de embarcação de um país neutro na guerra, a tripulação ficou inquieta. Passava um pouco da meia-noite quando os marinheiros ouviram um estrondo no casco que não deixava dúvidas do que se tratava: o *Buarque* fora torpedeado pelo submarino, que o seguira em sua rota. O navio, rapidamente, começou a afundar. No incidente, um marinheiro foi morto. Os outros ficaram à deriva no oceano em botes salva-vidas e foram resgatados pela marinha americana. Três dias depois, outro navio brasileiro, o *Olinda*, seria atacado pelo mesmo submarino e na mesma rota, após ter desembarcado uma carga de cacau em Nova York.

Aquelas foram as primeiras embarcações brasileiras a serem afundadas pelos alemães desde que o Brasil, em janeiro, se tornara signatário do acordo que estabelecia que os países do continente americano se apoiariam mutuamente caso algum deles fosse atacado por uma das potências do Eixo – Alemanha, Itália e Japão. Como um pouco antes, em dezembro de 1941, a base americana de Pearl Harbor, no Havaí, fora bombardeada pelos japoneses, automaticamente o Brasil fechava posição com os Estados Unidos.

Getúlio Vargas, claramente simpático aos nazistas, assinara o acordo de apoio mútuo por puro pragmatismo. Desde meados do ano anterior, o governo de Franklin Roosevelt vinha acenando com algumas vantagens ao Brasil, como a liberação de um empréstimo de 200 milhões de dólares, além da promessa de ajudar na construção de uma siderúrgica no país. A decisão do Brasil de alinhamento aos países do continente americano irritou profundamente os alemães, que acreditavam em uma aliança futura com o ditador brasileiro.

Embora o acordo de forma alguma significasse rompimento de relações do Brasil com as potências do Eixo, muito menos uma declaração de guerra, o embaixador do Reich no Rio de Janeiro imediatamente avisou ao chanceler Oswaldo Aranha que o país se preparasse para retaliações. A estratégia alemã era garantir o controle das comunicações no Atlântico. Neste sentido, o Brasil tornara-se peça fundamental no tabuleiro da guerra. Obviamente, não por suas forças militares, que eram pífias, mas por sua localização geográfica, que permitiria a instalação de bases no nordeste brasileiro, mais próximo do continente africano, para onde o conflito se estendera. O acordo entre o Brasil e os Estados Unidos arruinara o plano da Alemanha de montar suas bases aqui. Um novo baque para o país, que já vinha sofrendo sérios reveses com os contra-ataques da aviação inglesa e com as renhidas batalhas na União Soviética, a quem Hitler havia declarado guerra, em 1941, e que já sacrificara boa parte do exército alemão.

O afundamento dos dois cargueiros brasileiros causou grande consternação no país. Ainda assim, Getúlio Vargas titubeava em romper com os nazistas. Temia que, ao apoiar as democracias ocidentais, a ditadura que ele instalara sob o nome de Estado Novo ficasse ameaçada. Certamente haveria pressão popular para distensão do regime de força.

Nessa época, Hans estava bastante impaciente e aflito com a permanência de Kurt no Piauí. As cartas demoravam a chegar e eles ficavam sem notícias uns dos outros por longo tempo. Em função disso, a depressão de Ilse agravara-se. O filho insistia para que o pai voltasse, mesmo que sem emprego, o que Kurt se recusava a fazer por temer não conseguir sustentar a família. A preocupação de Hans com a permanência do pai na distante Parnaíba tinha a ver também com a evolução do conflito mundial e seu impacto no Brasil.

Desde o ataque ao *Olinda* e ao *Buarque*, alemães, italianos e japoneses que viviam aqui, muitos dos quais imigrados no final do século XIX, passaram a ser perseguidos e, alguns, até linchados. Kurt já tivera alguns problemas em Parnaíba, pela dificuldade de as pessoas entenderem que, embora alemão, era judeu, uma vítima portanto, e não um aliado, do Reich. Hans achava que no Rio havia maior compreensão dessa diferença e que, por isso, os contratempos de Kurt "com sua antiga nacionalidade" seriam muito menores do que lá onde estava.

Diante da resistência do pai em voltar sem emprego, o jovem saiu em busca de uma colocação para ele, principalmente em empresas de judeus emigrados, como "os Klabin, os Kowsmann, os Geyer e os Szillar", como nomeou em uma das cartas ao pai. "O problema é que ninguém vai lhe dar emprego à distância, sem conhecê-lo", argumentava.

Ao mesmo tempo, Hans tentava aumentar os seus rendimentos, dando aulas de inglês e datilografando correspondências por encomenda após o trabalho, de forma a conseguir assegurar o sustento da casa até o pai se recolocar. Apesar disso, as dificuldades financeiras só aumentavam. O aluguel do quarto e sala onde ele morava com a mãe em Copacabana havia praticamente dobrado de valor, e o dinheiro que Kurt mandava já não era suficiente para fazer frente às despesas. A alternativa que Hans encontrou para economizarem foi se mudarem para o Leblon, um bairro mais novo, onde os aluguéis eram bem mais baratos, mas Ilse se recusava a sair de onde estavam. Antes, ele tentara conseguir algum local no Flamengo ou na Glória, mais próximos do Centro e do escritório da Cristab (que, nessa época, havia se mudado do Rio Comprido para a avenida Rodrigues Alves, junto ao porto), para reduzir os gastos com transporte, mas, nesses bairros, os aluguéis eram impraticáveis para a modesta renda dos Stern.

A enorme carga de responsabilidade tirou de Hans o senso de humor característico dos seus relatos até então. Em 6 de junho, ele escreveu uma dura carta ao pai, carregada de angústia, relatando as dificuldades pelas quais passavam, principalmente por causa do estado psicológico da mãe.

> Antes de entrar nos assuntos práticos, quero alertá-lo de que o seu telegrama e as suas cartas causaram verdadeiro colapso nervoso em mamãe, que está completamente doente, ao ponto de eu ter que sair à noite, pois não posso mais suportar as conversas e o nervosismo dela. Além disso, ela está pondo malucos todos os conhecidos, correndo com suas cartas e telegramas de um lado para outro. Peço-lhe o grande favor de não mais mandar telegrama para a travessa Santa Leocádia, pois esses seus telegramas causam somente confusão e dias atrozes para mim, além de prejudicarem a saúde de mamãe. Peço mandar para Hans Stern A C Titanio, Rio de Janeiro, que é o endereço telegráfico da Cristab.

Em um P.S., o jovem Hans exortava o pai a sair da paralisia em que se encontrava e tomar coragem de voltar, ainda que sem emprego.

> Quantas possibilidades existem por aqui. Se eu tivesse mais idade e alguma poupança, poderia ganhar muito dinheiro. Peço-lhe que tome um pouco de ânimo e não fique enterrado em Paranaíba, que, apesar de ser um bom lugar, com muitas pessoas amigas e onde todo mundo o estima, não dá futuro. Você era um homem tão enérgico e cheio de decisão. Por que está vacilando agora e não se arrisca um pouco? Nada se consegue nesta vida sem risco e não há nada que se possa fazer prevendo um sucesso de 100%.

As palavras firmes de Hans surtiram efeito. No final de junho, Kurt escreveu uma carta para o filho contando que aceitara um emprego na Servix Engenharia, uma empresa de instalações elétricas no Rio de Janeiro, embora ganhando menos do que no Piauí. Sua volta estava prevista para dentro de dois ou três meses.

No começo de agosto de 1942, às vésperas da mudança de Kurt para o Rio, grandes contingentes das forças americanas começaram a desembarcar em Recife e Natal, após serem autorizados pelo governo Vargas a instalarem ali duas bases navais. Havia uma grande excitação nas ruas com a chegada das tropas americanas. Moças jogavam flores, homens aplaudiam, crianças corriam atrás dos soldados. O clima em todo o país era festivo. Havia uma excitação com a chegada dos aliados. Se o governo titubeava, a população não deixava dúvidas de que já escolhera de que lado queria que o Brasil ficasse na guerra.

Na tarde do dia 15 daquele mês, alguns pescadores na costa sergipana notaram uma estranha carga ser trazida pelas ondas até a praia. Ao se aproximarem, depararam-se horrorizados com uma quantidade absurda de corpos – mais de duas centenas – de homens, mulheres e crianças, mortos por afogamento e ferimentos por armas de fogo. Tinham os olhos arregalados de quem registrou como última imagem o terror e o medo.

No final do dia, os jornais trariam, em edições extraordinárias, a tragédia estampada em suas manchetes. O *Baependi*, uma embarcação brasileira de passageiros e carga, fora torpedeada por um submarino alemão, deixando um saldo de 270 mortos. As imagens publicadas pelos jornais eram chocantes. Corpos queimados e desmembrados. Rostos endurecidos com expressões aterrorizadas. Bebês e crianças com as faces enterradas na areia. Nos dias que se seguiram, mais quatro navios brasileiros seriam atacados na costa nordestina pelo mesmo submarino, provocando a morte de mais de mil pessoas. A indignação tomou conta das ruas e Getúlio Vargas não teve outra saída senão declarar guerra às potências do Eixo, através de um comunicado emitido pelo governo na manhã do dia 22 de agosto. A partir daí, cidadãos alemães, italianos e japoneses começaram a ser presos, assim como fechadas as empresas desses países, e todos os seus bens confiscados pela polícia do Estado.

Kurt estava em sua sala, na sede da usina elétrica, esvaziando suas gavetas, quando um grupo de policiais armados o levou para a cadeia, em Teresina. Lá, foi trancado em uma cela com outros dois alemães, formando um inusitado grupo de inimigos do Estado: um padre católico, um judeu foragido e o cônsul da Alemanha no Piauí. Embora o cônsul fosse o único ligado ao Terceiro Reich, os três acabaram fichados como suspeitos de "atividades antibrasileiras".

Foram momentos de aflição para Hans no Rio de Janeiro. Indignado, ele enviou um extenso telegrama ao governador do Piauí explicando, didaticamente, a diferença entre um alemão e um judeu refugiado alemão. O telegrama surtiu efeito. O pai foi solto alguns dias depois. Kurt sempre se lembraria, às gargalhadas, daquele episódio próximo do absurdo. A prisão, ele contou, fora amena. Ele e seus compatriotas se entenderam bem: passavam o tempo jogando skat, um jogo alemão de baralho, semelhante ao bridge, e tomando cerveja. Na cadeia municipal da capital piauiense, a paz era possível.

Após ser libertado, voltou ao Rio por uma rota complicada por terra, já que as viagens marítimas tinham se tornado muito perigosas para os navios brasileiros. Chegou à cidade quase no fim do ano.

A volta de Kurt provocou uma grande melhora na vida dos Stern. Com o salário que recebia da Servix, ele e a mulher puderam mudar-se para um apartamento maior, no topo da ladeira da travessa Santa Leocádia, com uma vista estupenda para o mar de Copacabana, aonde se chegava através de um plano inclinado. Com o marido perto, Ilse melhorou da depressão e eles logo formaram um animado grupo de amigos, na maioria judeus refugiados. Hans aproveitou-se da boa fase familiar para morar sozinho em um apartamento alugado de quarto e sala, em cima do cinema Roxy, na avenida Nossa Senhora de Copacabana, a uma quadra da praia. Ali, nos finais de semana, usufruía do que mais gostava no Rio de Janeiro: o sol e o mar. Era capaz de ficar o dia inteiro espichado na areia deixando o sol queimar sua pele branca, levantando-se às vezes para dar longas braçadas no mar azul.

No final de 1943, Hans deixou a Cristab, que estava prestes a falir, e se transferiu para a White Martins, onde se tornou responsável pela correspondência internacional da companhia. Lá ficou por cerca de seis meses, de onde saiu para trabalhar com Jean Juster, um judeu romeno refugiado que tinha sido banqueiro em Bucareste. Hans era o único funcionário da empresa, cuja atividade principal era importação de arame farpado e cimento. Ali, aprendeu rápido sobre técnicas de venda e de comércio exterior. Tinha boa relação com o patrão, com quem não se limitava a tratar de negócios, mas também de música e literatura. O banqueiro, com quem ele trabalharia por quase dois anos, foi um grande mestre para o rapaz. Tanto que, aos 22, Hans se sentia pronto para dar passos mais ousados.

capítulo XIV

Um acordeão sem uso

No começo de 1945, já estava claro que a Alemanha e a Itália tinham perdido a guerra. Mas, quando na segunda-feira, 7 de maio, o general Gustav Jodl, chefe do Estado-Maior do exército alemão, assinou

a rendição incondicional do país, cinco anos e oito meses após o início do maior conflito armado da história da humanidade, o mundo todo comemorou. No Brasil, os jornais estamparam "Vitória!" em manchetes de suas edições extraordinárias. O Centro do Rio de Janeiro foi tomado por uma multidão eufórica, que comemorou o fim da guerra com fogos de artifício. Na escadaria do Theatro Municipal, representantes da Liga da Defesa Nacional, da União Nacional dos Estudantes, a UNE, e dos sindicatos de trabalhadores se revezavam em discursos inflamados contra o fascismo e a favor das democracias ocidentais, aplaudidos por manifestantes que se aglomeravam dali até o Palácio Monroe. Era o prenúncio do fim da ditadura Vargas.

Para os Stern e todos os judeus refugiados, a derrota de Hitler era um alívio e motivo de imensa comemoração. Os Stern, no entanto, tinham a convicção de que, mesmo após a acachapante derrocada dos nazistas e a sua expulsão da vida pública alemã, seu país natal ficara para trás. Eles nunca mais voltariam a viver na Alemanha. O Brasil era sua nova pátria e Hans estava tão seguro disso que, um ano antes, em 1944, naturalizara-se brasileiro. Sempre bronzeado e falando um português praticamente sem sotaque, ele podia quase se passar por carioca.

A preocupação de Hans não era mais resgatar o passado e sim conquistar seu futuro no Brasil. Com a experiência adquirida nos últimos anos trabalhando em várias empresas, planejava montar seu próprio negócio.

Havia um único limitador nessa empreitada: falta de capital. Com o que ganhava, não conseguia juntar o suficiente para fazer frente às despesas de instalação da firma. Já havia definido o ramo em que queria trabalhar: vendas por atacado de pedras de cor. Não apenas porque gostava das pedras, mas também por pragmatismo. Sabia tudo desse mercado. Conhecia clientes e fornecedores potenciais, o que era mais de meio caminho andado para se ter sucesso em um negócio emergente. No tempo em que trabalhara na Cristab, fizera contato com vários joalheiros, que confiavam na sua seriedade e na qualidade das gemas que vendia.

Na outra ponta, conquistara também o respeito dos garimpeiros e lapidários que lhe entregavam as melhores peças por terem a certeza de que seriam pagos. Acostumados a ser enganados por compradores que levavam as pedras em consignação e nunca mais voltavam para acertar as contas, os garimpeiros faziam negócio sem medo com aquele homem que falava um pouco diferente, mas que nunca os deixara na mão. Hans estabelecera uma relação cordial com eles. Chamava-os pelo nome, dava tapinhas nas costas e não tentava blefar ou esconder sua admiração quando se deparava com uma pedra de valor.

1 Hans na praia, na década de 1940.

2 Hans, ainda na Alemanha, com seu acordeão.

Certa noite, deitado em sua cama, olhou para seu velho acordeão esquecido no alto do armário. Sempre gostara do instrumento, mas nunca conseguira tocá-lo bem. E, naquelas alturas, estava convencido de que seria apenas um bom ouvinte, jamais um músico. Pensou em seu professor na Alemanha e em seu empenho em transformá-lo não só em um bom acordeonista, mas em um fino apreciador de música. Obtivera sucesso apenas com a segunda parte. Hans tinha ouvido tão apurado que era capaz de reconhecer o regente apenas pela forma de a orquestra executar um concerto.

Afora o valor sentimental, o acordeão não lhe tinha serventia. E como Hans não tinha apego às coisas materiais – sua precoce e dura experiência lhe ensinara que elas podiam desaparecer da noite para o dia –, decidiu que venderia o instrumento e empregaria o dinheiro na futura empresa. Não custou muito a encontrar um comprador, e vendeu-o por 200 dólares. Desfez-se do acordeão sem nenhum pesar.

Com o dinheiro da venda do instrumento e mais um pequeno empréstimo bancário, Hans conseguiu os recursos de que precisava para criar sua firma. Em setembro de 1945, abriu um escritório de comercialização de pedras em uma minúscula sala, na rua Gonçalves Dias, no Centro da cidade, e colocou na porta a tabuleta – Lapidação Pan-Americana. A Gonçalves Dias era um local estratégico no Centro. Pelas suas calçadas estreitas, circulavam homens e mulheres elegantes que tomavam chá na Confeitaria Colombo, perto de seu escritório. A Colombo era um excelente local para Hans travar relações com empresários de todo o Brasil que afluíam à capital federal. A rua também ficava próxima à larga avenida Rio Branco, principal artéria comercial da cidade, onde estavam instaladas várias joalherias. Seguindo por ela, em direção norte, chegava-se ao porto do Rio, onde, em razão dos anos trabalhados com exportação e importação, de selos a pedras de cor, de arame a cimento, Hans fizera bons contatos.

Com seus modos elegantes e reservados, a seriedade alemã suavizada pela leveza carioca que adquirira com a turma da praia, Hans ganhara admiração do mercado. Os joalheiros, muitos deles judeus, ficaram satisfeitos em saber que ele voltara ao ramo, agora com sua própria empresa. Trazia as pedras em consignação de lapidários e garimpeiros de Minas Gerais e as revendia principalmente no Rio, São Paulo, Porto Alegre e Salvador, além de exportá-las para os Estados Unidos. Passava grande parte do tempo viajando, em busca de novos clientes. Tinha apenas uma única funcionária, Dirce Soares, sua secretária.

Os negócios iam bem e Hans, em pouco tempo, mudou-se para um escritório maior, em outro prédio, na mesma Gonçalves Dias. Nessa época, associou-se a Rolf Simon, seu amigo desde que chegara ao Brasil. Simon, de temperamento extrovertido, era um ótimo vendedor e um excelente relações-públicas, o que atraía muitos clientes para a firma. Solteiro como Hans, Simon vivia com a mãe na rua Riachuelo, no Centro, e os dois amigos, além de trabalharem juntos, faziam muitas farras. Embora tímido e pouco falante, Hans era um sedutor e as mulheres se encantavam com o jeito meio sério, meio irônico daquele "inglês" de intensos olhos azuis, que se divertia tanto com a turma da praia quanto nos concertos de música clássica na rádio Jornal do Brasil, cujo auditório, no Centro, ele frequentava na hora do almoço para ouvir não orquestras ao vivo, como na Alemanha, mas reproduções em discos de vinil.

O sócio, porém, logo virou um transtorno. Embora os dois caíssem na farra, no dia seguinte, às 8h em ponto, Hans já estava na empresa. Simon só aparecia por volta das onze. Hans reclamou várias vezes, mas o amigo não se emendou. Certo dia, exasperado com o atraso do sócio, Hans insinuou que ele era preguiçoso. Tiveram uma altercação e resolveram se separar. A amizade acabou ali. Simon foi tentar a sorte em São Paulo. Hans continuou com a empresa no Rio.

Com os oceanos livres das batalhas, o mercado de cruzeiros marítimos ressurgiu. Em busca de destinos alternativos à Europa, ainda arrasada pela guerra, os americanos voltaram seu interesse para lugares exóticos. E o idílico Brasil – com sol o ano inteiro, praias paradisíacas, florestas exuberantes e cantoras com frutas na cabeça –, mostrado de forma caricata pelos filmes de Hollywood, era um deles. Navios lotados de turistas endinheirados ávidos por novidades deixavam o porto de Nova York perfazendo uma longa rota pelo Atlântico até aportarem no Rio de Janeiro.

Hans, então com 27 anos, vislumbrou aí a oportunidade de entrar para o varejo e vender seus produtos diretamente a esses consumidores. Seriam seus clientes-alvo. Estava convencido de que as turmalinas verdes, rosas e azuis, os topázios dourados e as brilhantes águas-marinhas atrairiam os turistas americanos tanto quanto o atraíram. Mesmo sendo naturalizado, Hans mantinha o olhar encantado do estrangeiro com o Brasil. Muitas das coisas que para os nativos pareciam comuns e banais, para ele eram magníficas. As pedras coloridas, por exemplo. Ele as achava lindas e se impressionava com o fato de os brasileiros não darem a mínima para elas, a ponto de considerá-las semipreciosas.

Ao voltar-se para o varejo, Hans achou que também era preciso renomear a empresa. E como tinha grande credibilidade no mercado, decidiu batizá-la com o seu nome: H, de Hans, mais o seu sobrenome Stern, que em alemão significa estrela. A partir daquele momento, a empresa se chamaria H.Stern.

O lugar que Hans escolheu para instalar o seu primeiro ponto de vendas no varejo foi o Touring Club do Brasil, no píer Mauá, o porto do Rio de Janeiro. O prédio, uma construção branca, baixa e comprida, com uma torre alta avistada de vários pontos do Centro, era um local estratégico, já que todos os turistas que desembarcavam dos navios no Rio passavam por ali. Usando de seus contatos, conseguiu um espaço no saguão para montar um estande de vendas, que se limitava a um balcão com tampo de vidro, onde as pedras ficavam expostas.

O balcão da H.Stern no Touring fez sucesso imediato. Todos queriam possuir as pedras brasileiras como se levassem para casa um pedaço daquele país luxuriante mostrado nos folhetos publicitários. Como o espaço ficou pequeno para o tamanho da clientela, Hans decidiu abrir um novo ponto de venda, em outra área turística.

Escolheu o Hotel Quitandinha, um prédio em estilo normando na serra de Petrópolis, a uma hora do Rio, para onde afluíam muitos viajantes. O espetacular hotel de seis andares fora construído para abrigar um cassino de padrão internacional. A obra começara em 1941 e fora inaugurada em 12 de fevereiro de 1944, com toda a pompa. Mas com a destituição de Getúlio Vargas pelos militares, em outubro de 1945, seu substituto, o general Eurico Gaspar Dutra, proibira o jogo no Brasil.

O empresário Joaquim Rolla, dono do Quitandinha, gastara milhões na obra, imaginando os lucros fabulosos que teria com seu sofisticado cassino serrano, e ficou inconsolável. Colocara ali o que havia de melhor. A requisitada decoradora americana Dorothy Draper decorou os 440 apartamentos e os treze salões de 10 metros de pé-direito com móveis luxuosos. Os pisos em mármore branco e preto eram deslumbrantes. A cúpula de um dos salões, o Mauá, com 30 metros de altura e 50 de diâmetro, impressionava. Tudo ali era monumental. Inclusive a mesa telefônica com oitocentos ramais, suficientes para atender a uma cidade com 20 mil habitantes.

A piscina aquecida, com 5 metros de profundidade, tinha a forma de um piano de cauda, e as paredes da área coberta à sua volta foram pintadas com belos motivos marinhos. O grande lago na frente do hotel tinha o formato do mapa do Brasil e fora projetado para ser uma praia artificial. Toneladas de areia foram trazidas do Rio para a serra. Era tudo um espetáculo. Portanto, mesmo sem o cassino, o hotel ainda era uma atração.

No salão das estrelas, que recebera este nome por causa dos enormes lustres de cristal de cinco pontas que pendiam do teto, ficavam as vitrines em laca branca, onde as lojas expunham suas mercadorias. Hans foi um dos primeiros a alugar uma delas para mostrar as pedras da H.Stern.

Em pouco tempo, as gemas coloridas brasileiras viraram febre entre os turistas que subiam a serra. Mas a empresa não era a única a disputar aquele mercado. Para se diferenciar, Hans decidiu criar um certificado mundial de garantia para suas pedras. Quem as levasse, poderia trocá-las em locais específicos na Europa ou nos Estados Unidos caso apresentassem algum problema. Era lógico que dificilmente as pedras apresentariam problema, mas os turistas viram aquele certificado como um atestado de qualidade e passaram a preferir as suas pedras, que, de fato, eram mais bonitas e atraentes que a dos concorrentes. O certificado era um instrumento absolutamente inovador no mercado brasileiro, que não deixava ao consumidor praticamente nenhum espaço para reclamação.

Em 1950, com o negócio bem estruturado, a H.Stern mudou-se para uma sala maior, no 14° andar do prédio de número 173 da avenida Rio Branco. Hans tinha em mente um novo projeto. A empresa passaria a fabricar joias ao invés de se limitar à venda de pedras. Assim como a qualidade das suas gemas caíra no gosto dos estrangeiros, ele acreditava que, se oferecesse uma joia com bom acabamento, aumentaria o valor do seu produto e poderia competir em pé de igualdade, ou mesmo em melhores condições, com os outros joalheiros, de quem era fornecedor havia vários anos.

Nessa época, Kurt veio trabalhar com o filho, que estava sobrecarregado. Para que Hans pudesse se dedicar ao produto e às vendas, Kurt passou a cuidar da área de pessoal. Além da leal secretária, dona Dirce, a empresa tinha uns poucos vendedores. Mas, se estavam dispostos a expandir o negócio, precisavam contratar mais gente. Kurt iniciou o processo de seleção.

Uma tarde, Anna Fridman, uma jovem tímida e franzina de 18 anos, com inglês perfeito, viu um minúsculo anúncio no jornal oferecendo emprego. Dizia assim: "Precisa-se de moça inteligente, que saiba in-

Prédio na avenida Rio Branco, n° 173, Centro, Rio de Janeiro, para onde a H.Stern se transferiu em 1950.

glês e datilografia." Ela recortou e guardou o anúncio na bolsa. Certo dia, voltando com uma amiga de seu curso de inglês, no Centro, passou por acaso na frente do prédio da Rio Branco. A amiga sugeriu que ela subisse para tentar o emprego, mas Anna hesitava. A amiga argumentou: já que estavam ali, por que não subir? E foi com ela até a porta da firma.

Lá, pediram que Anna esperasse. Pouco depois, surgiu um senhor baixo, gordinho e narigudo. Tinha os olhos sorridentes e trazia um charuto na boca. Era Kurt Stern. A entrevista foi curiosa. Como ele não falava inglês, eliminou essa parte. Pediu que ela datilografasse um texto. Anna estava nervosa. Colocou o papel desajeitadamente na máquina e começou a dedilhar as palavras ditadas por ele. Quanto mais escrevia, mais o papel entortava. O resultado final foi desastroso. Com as faces em fogo, entregou o que seria uma carta datilografada, completamente desalinhada, e avisou: "Olha, não saiu muito bem." Ao que Kurt respondeu: "Ah, esta máquina não funciona." Em seguida, ele fez o teste de inteligência, que seriam algumas perguntas sobre sua vida pessoal e acadêmica. Ela saiu de lá grogue com o cheiro do charuto, achando que seria dispensada. Um mês depois, Anna foi contratada.

Quando chegou à empresa para seu primeiro dia de trabalho, Kurt fez uma observação. "Achamos que você pediu um salário muito alto, mas vamos te contratar." Na verdade, ela pedira apenas um pouco acima do salário mínimo. Kurt estava convencido de que ela seria uma excelente funcionária, apesar do erro inicial na datilografia. Anna ficaria com eles até se aposentar, como vice-presidente, com quase 70 anos.

Depois dela, outras mulheres foram contratadas. A empresa era basicamente feminina. Do ponto de vista de Kurt, as mulheres eram mais dedicadas, mais sérias e mais fáceis de lidar do que os homens. E, conforme a empresa crescia, elas foram ocupando cargos executivos.

Anna trabalhava ao lado de Kurt. Ele era o tesoureiro e ela tinha que aprender as tarefas de tesouraria. Uma tarde, cansada da contabilidade, ela foi para a sala da secretária, dona Dirce, que era divertida e contava boas histórias. Kurt foi buscá-la pelas orelhas. E disse: "O seu lugar é aqui." Para Anna, órfã de pai, Kurt, além de professor, tornou-se uma espécie de padrinho.

O novo espaço da H.Stern era dividido em quatro salas. Em uma delas ficava Hans e a secretária. Em outra, Kurt, Anna e, atrás deles, o cofre da empresa, onde era guardado o dinheiro e que permanecia constantemente aberto, sendo fechado somente à noite. Nas outras duas salas, ficavam os balcões de vendas de pedras e de objetos turísticos que Kurt adorava, como as esculturas de mestre Vitalino.

Nessa época, Hans estava mergulhado em pesquisas para montar a joalheria. Passava a maior parte do tempo na Europa e nos Estados Unidos avaliando como operavam as grandes joalherias de luxo. Seu objetivo era criar uma empresa de alto padrão no Brasil, cujo mercado ele considerava muito amador.

Em meados daquele ano, já estava seguro do tipo de joia que iria produzir. Embora entrando para o ramo da joalheria, mantinha-se fiel à crença de que as pedras eram e continuariam sendo o centro das atenções. Em sua avaliação, o desenho não poderia, de forma alguma, se sobrepor à beleza da pedra. O metal à sua volta – fosse ouro amarelo ou branco – seria apenas uma moldura. Para isso, o processo de criação partiria sempre da gema. A pedra é que daria a direção da forma que a joia teria.

Assim que começou a produção de suas primeiras peças, Hans acrescentou ao nome H.Stern, na placa de entrada, a palavra Joalheiros. Tinha razões para estar satisfeito. Em apenas cinco anos, transformara a sua lapidação em uma joalheria que arquitetava transformar na mais luxuosa do Brasil e, quem sabe, em uma das mais conceituadas do mundo.

Ao iniciar a produção das joias, no entanto, deparou-se com sua primeira grande dificuldade. Ainda que os desenhos das peças, que ele chamava de molduras, não fossem muito elaborados, tampouco rebuscados, os ourives à disposição não conseguiam executá-los com o nível de qualidade que Hans desejava. Acostumados a fazer as peças conforme lhes dava na cabeça, os ourives tinham dificuldade de entender a importância da uniformidade das peças. Todas tinham que ter o mesmo padrão de qualidade. Ao vê-las, o consumidor tinha que perceber que eram confeccionadas, ainda que de forma artesanal, pelo mesmo fabricante. E, dessa forma, saberia estar levando um produto com o selo H.Stern.

Oficinas de ourivesaria da H.Stern no prédio da avenida Rio Branco, na década de 1950.

Hans e Kurt discutiam o problema exaustivamente. Em sua fábrica, na Alemanha, Kurt estabelecera alguns processos de produção nas oficinas que funcionavam muito bem. Todos os produtos só saíam da fábrica após passarem por uma minuciosa inspeção. Pai e filho começaram a pensar, então, se o modelo poderia ser replicado em uma joalheria brasileira. Sabiam que apenas conversas com os funcionários não resolveriam. Precisavam, como na fábrica de Kurt, ter um manual, um processo de fabricação a ser seguido. Caso contrário, a uniformidade iria para o espaço.

Uma coisa, no entanto, era fazer isso com peças elétricas, com técnicos formados e treinados para tal. Outra era fazê-lo com joias, em um ramo onde os ourives, que confeccionavam as peças por encomenda, tinham a sua própria concepção do que era bom ou ruim.

Depois de quebrarem a cabeça, Hans e Kurt chegaram à conclusão de que só havia uma saída: criar uma oficina própria e estabelecer normas e controles de qualidade como faziam na fábrica de Essen. Para agilizar o projeto, Hans convidou ourives alemães, acostumados a seguir instruções, para trabalharem no Brasil. Com o emprego escasso na Alemanha, a ideia de mudarem para um país jovem e promissor atraiu muitos deles.

Em pouco tempo, a brasileira H.Stern passou a fabricar as peças seguindo o rígido controle de qualidade alemão. Cada joia era revista várias vezes por um meticuloso examinador e colocada à venda somente se estivesse dentro do padrão estabelecido – que ia da pureza e gramatura do ouro e excelência da pedra até o cuidado com os detalhes do desenho da joia. No começo, os ourives brasileiros ofendiam-se de ter que destruir e refazer o que tinham produzido. Por fim, acabaram entendendo que era muito melhor terem um protocolo a seguir. Notaram que as joias ficavam perfeitas e que tinham passado a fazer um trabalho superior ao que costumavam executar.

Junto com a confecção das peças, Hans e Kurt começaram a pensar em um logo para a joalheria. Kurt, que gostava de design, pôs-se a rabiscar algumas ideias. Chegou a um logo bastante rebuscado, em estilo gótico. O H.Stern era escrito com letras pesadas e masculinas. Abaixo do nome, lia-se "Joalheiros", quase como uma sentença. Quem olhasse para aquelas letras barrocas certamente pensaria tratar-se de uma vetusta joalheria. Era justamente essa a ideia que Kurt queria passar: dar à novíssima H.Stern uma imagem de antiguidade e tradição. Em um mundo que quase se desmanchara e onde tudo mudava rapidamente, ele acreditava que um logo de aparência sólida daria ao consumidor a segurança de estar tomando posse de um produto perene.

Kurt também levara em conta outro fator ao desenhar formas tão pesadas. Como eram os homens que costumavam comprar joias para presenteá-las às suas esposas, namoradas ou amantes, o logo precisava atrair esse público. No Brasil do começo dos anos 1950, os homens ainda detinham o poder econômico e, embora as mulheres pudessem escolher as de que mais gostassem, eram eles que pagariam pelas joias. Kurt acreditava que homens se sentiam atraídos por marcas fortes, ao contrário das mulheres, que, antes de tudo, apreciavam a beleza das peças.

Quando o logo se juntou às peças de qualidade impecável, pai e filho tiveram a certeza de que a ideia de perenidade não se esgotava na marca. Eles entregariam uma joia que, efetivamente, duraria para sempre.

No verão daquele ano, Hans estava tão satisfeito com as joias produzidas que se animou a abrir pontos de venda fora do Brasil, em capitais que também estivessem na rota dos turistas, principalmente dos americanos. Como os navios que passavam pelo Brasil encerravam a viagem em Montevidéu e Buenos Aires, antes de retornarem aos Estados Unidos, decidiu testar nessas duas charmosas capitais a aceitação de suas peças. Ou seja, alguém que as tivesse visto no Brasil, mas deixado de comprá-las, teria uma nova chance nessas cidades.

A experiência do Quitandinha tinha levado Hans a concluir que, naquele primeiro momento, a maneira mais eficiente de alcançar os turistas estrangeiros seria expor suas joias onde eles estivessem. Hans visitou, então, alguns dos mais sofisticados hotéis de Buenos Aires e Montevidéu e fechou contratos para abrir pequenas butiques nos seus lobbies. Era uma estratégia muito mais eficaz e mais barata do que abrir lojas de rua. Em uma época em que esse tipo de comércio era incomum, as lojas de hotel da H.Stern viraram atração. Os turistas que deixavam o Brasil em direção às duas capitais viam as lojas e achavam que se tratava de uma marca internacional. A partir daí, Hans iniciou o processo de expansão de sua joalheria pelo mundo.

capítulo XV

A invenção de um produto

Anéis, colares, pulseiras com pedras rosas, azuis, douradas, lilases. Às vezes, todas as pedras juntas em uma mesma peça. Algumas cercadas de pequenos brilhantes que atuavam como coadjuvantes das pedras de cor. Nada de esmeraldas, safiras ou rubis. A H.Stern oferecia algo novo. Uma profusão de gemas brasileiras. Quando os estrangeiros se deparavam com aquela cornucópia colorida, enlouqueciam.

Se os brasileiros desprezavam suas pedras por considerá-las de menor valor, os estrangeiros se encarregavam de comprar quantidades delas. E, ao transformar as pedras em joias, com ouro da melhor qualidade e acabamento de primeira, Hans conseguiu provar para o mundo que chamar de semipreciosas as intensas águas-marinhas, os citrinos cintilantes, os topázios com paleta de cor infinita e as deslumbrantes turmalinas era, no mínimo, uma heresia. Ele mesmo tratou de abolir o termo ao dizer que, "da mesma forma que não existe uma pessoa semi-honesta ou semigrávida, não existe pedra semipreciosa". A primeira vez que externou este seu ponto de vista foi em uma entrevista ao programa americano *Good Morning America*, gravada no Iate Club do Rio. A partir daí, repetiria a frase como um mantra. Ao eliminar o prefixo semi, empregado por muitos joalheiros ao se referirem àquelas gemas, Hans inventou um novo produto: joias confeccionadas com pedras *preciosas* brasileiras.

Os turistas chegavam aos bandos à sede da H.Stern, tornando o espaço apertado para tanta gente. Boa parte dessa intensa movimentação foi resultado de uma ideia de Kurt de organizar visitas guiadas à empresa para mostrar aos interessados como era feita a lapidação das pedras e a fabricação das joias. Dessa forma, não só se satisfazia a curiosidade do turista com o processo de produção, como também se proporcionava a ele a experiência única de ter contato com as pedras no país onde elas eram produzidas. É claro que, além do charme de levar para casa uma joia ou pedra do exótico Brasil, havia ainda a vantagem de aqui elas serem muito mais baratas do que lá fora. Em pouco tempo, a H.Stern começou a ganhar fama para além das fronteiras brasileiras. Os clientes amavam as joias feitas de forma artesanal, mas com qualidade industrial.

Qualidade era o conceito. A obsessão de Hans e Kurt com a excelência se estendera às visitas guiadas. Elas só começaram a ser feitas após um exaustivo treinamento dos funcionários: eles não podiam ser agressivos, inconvenientes ou insistentes. Os turistas que viessem para o tour guiado tinham que estar realmente dispostos a isso. Para divulgar o tour, Hans fez contatos no porto e nos hotéis, que passaram a avisá-lo todas as vezes que um grupo grande de viajantes estivesse chegando. A H.Stern, então, enviava os seus relações-públicas, como a tropa de choque da abordagem passou a ser chamada na empresa, ao encontro dos turistas. As visitas viraram atração, e enormes grupos se formavam para conhecer a joalheria.

O contato era feito no desembarque dos navios pelos relações-públicas ou por guias turísticos para levarem os turistas até a sede da empresa. Após verem uma amostra dos produtos no balcão do Touring, os viajantes eram convidados a fazer o tour para conhecer o processo de lapidação das pedras e de confecção das joias. Os interessados eram embarcados em Kombis até o prédio da H.Stern, na avenida Rio Branco e, depois, levados de volta ao porto.

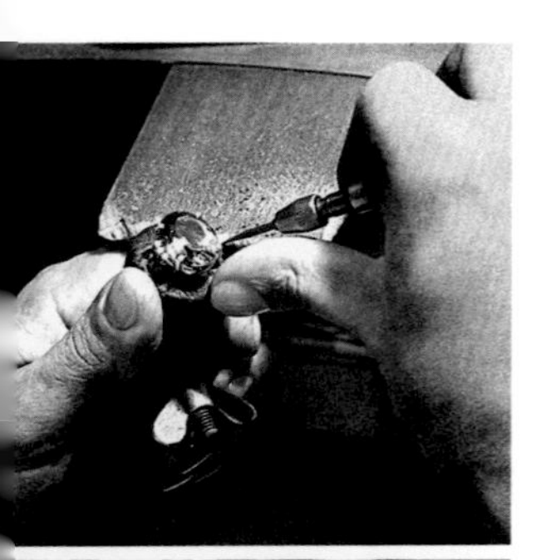

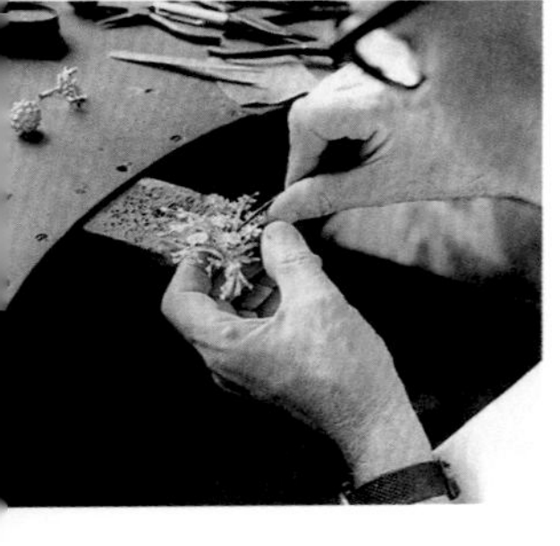

Joias sendo produzidas pelos artesãos da H.Stern.

O primeiro passo dessas visitas guiadas era a sala de lapidação, onde se acompanhava a preparação das pedras pelos lapidários. Em seguida, os clientes assistiam à fabricação das joias pelos ourives. Os guias explicavam, em vários idiomas, como tudo se dava. Depois, os turistas eram levados para outro espaço em outro canto da sala, onde ficavam geralmente três vendedores, sentados atrás das mesas. O cofre com as peças à venda ficava aberto à vista de todos, e os vendedores buscavam as bandejas com as joias e pedras para apresentá-las aos compradores.

Todo o processo – da visita até o momento da venda – tinha uma lógica inovadora, apesar de Hans e Kurt, naquela época, terem criado o sistema de forma intuitiva. Na verdade, eles inverteram a técnica de venda. Ao invés de se apresentar, primeiro, o produto acabado, mostrava-se o passo a passo da sua confecção. A visita era quase uma aula.

Hans treinou os vendedores para exibirem as peças seguindo um sistema que seria chamado por ele de "construção de preço". Como Hans tinha perfeita noção de que as pedras brasileiras, ainda que admiradas, eram desconhecidas do público, era preciso, antes de tudo, instruir o consumidor sobre o que ele estava comprando. Ou seja, o cliente precisava de um parâmetro para saber se o valor pedido por elas era caro, barato ou justo. Isso só seria possível se ele tivesse conhecimento da importância das pedras.

Pelo sistema de construção de preço, o vendedor colocava uma bandeja na frente do cliente com uma seleção de pedras da mesma família. Se fossem águas-marinhas, ele era informado de que aquelas eram pedras com mais de 35 cores, de grande raridade e só encontradas no Brasil, e pagava-se um preço por isso. A primeira bandeja vinha sempre com as peças de menor valor. Em seguida, o vendedor mostrava outra bandeja, com nova seleção de pedras, explicando, novamente, as características da peça, alertando que aquelas eram mais raras e mais puras e, por isso, mais caras. Na terceira bandeja, a seleção era ainda mais apurada, por isso as peças tinham outro patamar de preço, e assim por diante até se chegar às de qualidade e valor máximos.

Nesse processo, o vendedor precisava ficar atento à reação do cliente. Se o consumidor dissesse que o valor das peças de uma determinada bandeja era muito alto, ele tinha que parar de mostrar as seguintes para não correr o risco de o comprador, diante da impossibilidade de adquirir as joias com pedras mais valiosas e mais bonitas, não levar nenhuma. O fato era que, ao explicar as características de cada pedra e de cada joia, a H.Stern instruía o cliente sobre a razão daquele preço.

A técnica de construção de preço transformou-se em um dogma da empresa. O vendedor não podia ter preguiça de seguir o processo, apressando-se em apresentar de imediato as joias mais valiosas, na ânsia de concluir a venda. Se não adotasse esse passo a passo, o vendedor era dispensado. Outra regra de ouro da empresa era jamais julgar as pessoas pela aparência. Todas tinham que receber o mesmo tratamento.

O conceito de educar o cliente a partir dos preços mais baixos foi uma inovação para a época. As joalherias tinham por hábito apresentar primeiro as joias mais caras para despertar no consumidor o desejo de levar uma peça daquela marca: se não pudesse pagar por um colar de 100 mil dólares, se conformaria em levar um chaveiro de 100 dólares. Hans, todavia, sabia que a H.Stern e as joias e pedras brasileiras ainda não eram suficientemente conhecidas do público para que os clientes aspirassem a ter uma peça de sua joalheria. A única coisa a que eles aspiravam, naquela época, era levar uma pedra brasileira. Por isso, ele só pagaria o valor cobrado se tivesse certeza de que o preço era adequado.

O sistema funcionou. As visitas guiadas viraram sensação e o movimento aumentou de tal maneira que foi preciso alugar uma nova sala no quarto andar do mesmo prédio para receber a clientela. Anna Fridman muitas vezes era encarregada de ir para a sala de vendas ajudar a organizar as filas. Ela nunca conseguiu entender como as pessoas se dispunham a ficar ali tanto tempo esperando para serem atendidas.

Quando havia a chegada de muitos navios, o movimento explodia e a sala lotava. Era comum a H.Stern receber mais de mil turistas em um mesmo dia. Foi o que aconteceu no carnaval de 1951. Os relações-públicas não davam conta de atender às solicitações de visita dos viajantes. O tumulto começava já no balcão da empresa no Touring e, apesar do exaustivo treinamento imposto por Kurt, acontecia de, às vezes, os funcionários errarem a mão.

Na segunda-feira daquele carnaval, por volta das 15 horas, um recepcionista da H.Stern avistou uma americana, com cara de pânico, na sala de vendas. Ela não queria ser atendida e desejava apenas voltar para o navio. Como havia uma confusão de gente na sala querendo comprar, ninguém lhe dava muita atenção. O recepcionista foi até ela para saber o que se passava. Nervosa, ela explicou que chegara às 10 da manhã na cidade, fizera o tour guiado e comprara uma joia. Ao voltar para o Touring, outro relações-públicas da H.Stern a levara de volta para a Kombi. Ela fez o tour novamente, passou pela sala de vendas e tentou voltar ao navio.

Mas, ao atravessar o prédio do Touring, misturou-se aos outros turistas e foi colocada mais uma vez na Kombi, refazendo o mesmo trajeto. Quando tentava escapar do cerco, foi embarcada na Kombi e rumou de novo para a Rio Branco. Quase chorando, ela explicou que aquela era a quarta vez que levada para lá. Estava no Rio havia cinco horas e só conseguira ficar no vaivém entre o porto e a H.Stern. Constrangido, o funcionário levou-a para o Touring e só saiu de lá quando teve a certeza de que a turista embarcara no navio. O caso acabou indo parar nos arquivos de histórias bizarras da empresa.

A década de 1950 começara bem para a H.Stern. As vendas cresciam e Hans, com seu faro para novos negócios, decidiu abrir uma loja no novíssimo aeroporto Santos Dumont. O aeroporto começara a ser construído em 1938; com a guerra, as obras paralisaram e só foram retomadas em 1945, e a inauguração se dera em 1947. Com um projeto moderno e arrojado, o prédio comprido, de dois andares, com enormes colunas enfileiradas, pé-direito duplo e vidraças amplas – pelas quais se avistavam as pistas e a estupenda paisagem ao redor –, o Santos Dumont virou sensação. Era o que havia de chique. O Rio de Janeiro finalmente ganhara um aeroporto à altura da capital do país. Até então, o único aeroporto a servir o Distrito Federal era a inóspita base aérea do Galeão.

O turismo aéreo internacional, nessa época, também começara a florescer. A Panair do Brasil montou um hangar no Santos Dumont, e seus voos saíam dali para Lisboa e Londres, com escalas em Recife e Dakar. A companhia também voava para Miami e Nova York, fazendo inúmeras paradas no caminho. Hans tratou de se aproximar desse novo turista.

A loja do Santos Dumont, a primeira da H.Stern em um aeroporto, seria inaugurada em meados do ano, em frente a uma das vidraças panorâmicas, com vista para o Pão de Açúcar. Os passageiros que deixavam o salão de desembarque logo viam a joalheria. Também passavam por ela os que se dirigiam aos balcões de check-in. A ideia de Hans, ao abrir lojas em locais de grande afluxo de turistas internacionais, era fazer com que a marca ganhasse visibilidade e passasse a ser conhecida mundo afora. Em uma época em que os recursos publicitários eram escassos, as lojas eram o meio de contato com o público. Com os aluguéis baratos, elas tinham um custo baixo para a empresa e atuavam como eficientes outdoors. Hans costumava dizer: "*Show the flag*", algo como "Mostre a marca".

Na primavera de 1951, a H.Stern teve o primeiro grande retorno de sua estratégia: o ditador da Nicarágua, Anastasio Somoza, fez um marketing involuntário da empresa ao encomendar um colar no valor de 22 mil dólares, uma fortuna para a época. Embora o personagem fosse tremendamente controverso, a encomenda extravagante acabou virando notícia em vários jornais do mundo, colocando a H.Stern no mapa dos joalheiros de personalidades.

Quando, no ano seguinte, a base aérea do Galeão foi transformada em estação de passageiros, Hans apressou-se em instalar um ponto de vendas ali também. A abertura de lojas virou uma estratégia mercadológica. Não havia hotel de luxo a ser inaugurado com o qual ele não entrasse em contato para abrir uma H.Stern. As lojas expunham, além de pedras, suvenires de várias partes do Brasil, o que deixava clara a vocação da marca para vendas ao turista estrangeiro. Embora pequenas, as lojas eram simpáticas e tanto enfeitavam os saguões como serviam de distração para os hóspedes. Assim, os próprios hoteleiros começaram a procurar a empresa oferecendo seus espaços. O crescimento da H.Stern era galopante.

Nessa época, com a ajuda de Kurt, Hans já havia montado uma pequena equipe de diretores. Além deles dois, a H.Stern contava com a jovem Anna Fridman, que começava a comandar a parte administrativa; com Rudi Herz, que cuidava da montagem das joias e das vendas no prédio-sede; e com mais dois especialistas em montagens de joias.

Rudi, um jovem judeu alemão refugiado, escapara do campo de concentração em uma situação comovente. Na fuga da Alemanha, com documentos falsos, ele, o irmão mais novo e a mãe tiveram que descer do trem onde viajavam, junto com todos os outros passageiros, para serem revistados por uma patrulha nazista. Os homens e os meninos foram colocados em uma fila separada e, de forma humilhante, obrigados a tirar a roupa para que o pênis fosse examinado. O objetivo era saber se eram circuncidados, o que denunciaria sua condição de judeus. Um soldado nazista parou em frente a Rudi, então com 9 anos, e de seu irmão menor, ambos com as calças abaixadas. Os meninos tinham o pavor estampado na face. O soldado olhou fixo para eles e mandou que se vestissem. Fingindo não ter reparado na circuncisão, liberou-os para voltar ao trem. Rudi nunca mais esqueceria os olhos daquele soldado que lhe salvara a vida. Naquela troca de olhar, o soldado revelou ao menino o que sabia. Mas, por uma razão que Rudi jamais entendeu, deixou-os partir. Foi salvo por um instante de piedade ou por um homem bom? Sempre acreditou na segunda possibilidade.

Junto com a mãe, Rudi e o irmão vieram para o Brasil em um navio cargueiro, em condições duras, e foram recebidos no porto pelo pai, que já estava aqui. A família de Herz era amiga dos Stern desde os tempos de Essen, e Rudi, logo que teve idade, foi trabalhar na H.Stern. Rapidamente foi alçado a executivo e se tornaria grande amigo de Hans, apesar da diferença de idade entre os dois ser de quase dez anos.

Por volta de 1955, a joalheria já havia se espalhado pela América do Sul. A H.Stern tinha, então, lojas em Buenos Aires, Montevidéu, Bogotá e Caracas, podendo ser considerada a primeira multinacional brasileira do varejo. Faltava, no entanto, ligá-las de alguma forma à matriz, no Rio de Janeiro. Foi então que, durante uma reunião, o pequeno grupo de executivos da empresa inventou um marketing tremendamente engenhoso.

Na primeira metade do século XX, apenas as classes mais abastadas tinham condições de fazer turismo internacional – tanto aéreo quanto marítimo. Essas viagens costumavam durar alguns meses, com visita a vários países, para aproveitar o preço das passagens, então muito caras. Para fazer com que o turista que viajasse dos Estados Unidos ou da Europa até o Rio entendesse que a H.Stern era uma empresa internacional brasileira, eles bolaram um programa de retirada de brindes em todos os lugares na América do Sul onde a joalheria estava instalada. Em cada uma das lojas, o viajante era presenteado com um pingente em alpaca, um metal parecido com a prata, com o símbolo do lugar visitado.

Ao ganharem o brinde, eram avisados pelos vendedores de que, ao chegarem ao Rio, receberiam, na sede da H.Stern, um último pingente para a coleção, com o símbolo da cidade, junto com uma pulseira para pendurá-los todos juntos.

O programa, batizado de *charming trip*, causou tanto frisson entre os turistas que eles formavam filas desde a rua, em frente ao prédio da avenida Rio Branco, para retirarem a pulseira e o berloque e montar o bracelete com todos os outros pingentes. Ao entrarem na loja, faziam a visita guiada e acabavam comprando pedras e joias. O *charming trip* ajudou a multiplicar as vendas da empresa e a aumentar a publicidade em torno da marca.

Aos 33 anos, Hans tinha conseguido melhorar seu padrão de vida e se dera ao luxo de comprar uma pequena lancha, batizada de *Água-Marinha*, um dos seus grandes prazeres. A lancha ficava guardada no Iate Club, em Botafogo. Nos finais de semana, Hans convidava os amigos – Rudi era o companheiro mais frequente – para navegar pela baía de Guanabara. Sua paixão pelo sol e pelo mar do Rio jamais esmorecera. Às vezes, nesses passeios, Hans sugeria atracarem no píer Mauá, na loja do Touring. "Vamos vender algumas peças e depois continuamos o passeio", propunha, animado. Desembarcavam de calção e camiseta e se punham a atender os turistas no balcão da empresa.

Hans mantinha com todos os funcionários, não apenas com seus executivos, uma relação de respeito. Utilizava com todos, inclusive os mais jovens, o tratamento de senhor e senhora. Orientado por Kurt, acreditava que a cultura da empresa tinha que ser a do comprometimento e da cooperação. Havia, nos primeiros anos da firma, um empenho coletivo em fazer a empresa prosperar. "Nós criamos o mundo", diria, mais tarde, Anna Fridman, ao descrever os primeiros tempos da H.Stern.

> A gente vibrava porque cada dia era uma novidade e nós sentíamos que estávamos ajudando a empresa a crescer. Nós também nos sentíamos responsáveis por tudo aquilo. Porque o sr. Stern nunca foi uma pessoa de dizer "eu, eu, eu". Ele sempre dizia "nós". Ele, com a ajuda do pai, soube montar um time.

Nenhum funcionário jamais o viu levantar a voz ou destratar quem quer que fosse. Certa vez, Kurt estava de férias e Hans chamou Anna à sua sala. Ele tinha conferido o caixa e encontrara um erro. Ela pediu licença para conferir novamente e encontrou o erro que ele havia detectado. Anna se desculpou e perguntou ao patrão se ele estava zangado com ela. Hans, serenamente, respondeu:

> Eu nunca fico chateado com os erros dos outros. Eu só fico chateado com os meus erros.

Havia uma única coisa que ele jamais perdoava: desonestidade. Um funcionário pego em um deslize, por menor que fosse, como, por exemplo, a adulteração de um recibo de táxi, era imediatamente dispensado. Como os controles eram manuais, com cada peça tendo suas características avaliadas e anotadas uma a uma – peso e quantidade de ouro, tamanho e quantidade de pedras empregadas em uma joia –, somente a honestidade dos funcionários poderia garantir o controle do estoque.

Para ter os funcionários de extrema confiança que a natureza do negócio exigia – afinal, lidava-se com material de alto valor –, o critério de seleção de pessoal era extremamente rigoroso. Antes de ser contratado, o candidato ao emprego passava por várias entrevistas e testes. Um deles, que Hans considerava o seu maior termômetro, era a grafologia. Nos primeiros anos da empresa, não havia um grafólogo contratado. Mas, com o aumento do número de empregados, ele achou necessário ter um profissional em tempo integral. A dificuldade, no entanto, era encontrar um bom especialista nessa área e não um charlatão. Decidido a ter um grafólogo gabaritado, Hans colocou um anúncio no jornal oferecendo uma vaga para a inusitada função.

Em uma manhã quente de verão, Helmut Braune, um jovem alemão de vinte e poucos anos, estava esparramado na areia da praia de Copacabana, lendo a seção de empregos do jornal, em busca de uma oportunidade. Deparou-se com o minúsculo anúncio de 2 por 3 centímetros oferecendo trabalho para grafólogo. Não podia acreditar que aquilo fosse possível. Braune tinha servido ao exército alemão durante a guerra como decifrador de mensagens criptografadas. Sua função era quebrar códigos dos exércitos aliados. Antes do fim do conflito, abandonou a Alemanha nazista e fugiu para o Brasil. Jamais podia imaginar que voltaria a trabalhar com grafologia, ainda mais na empresa de um judeu alemão, um refugiado como ele, apesar de em lados opostos.

Braune apresentou-se e, após ter seu conhecimento testado, foi contratado. O rigor das suas análises impressionou Hans. Os dois logo estabeleceriam uma relação de confiança. Toda semana, Braune analisava as cartas escritas pelos candidatos a uma vaga, apontando os que tinham ou não condições de ficar na empresa.

Hans era um tipo extremamente diplomático e dado a gentilezas. Durante muitos anos, mesmo após o crescimento vertiginoso da H.Stern, mantinha o hábito de presentear os funcionários com pequenas lembranças de viagem dos países que visitava a trabalho. Como tinha um jeito simples e despojado, era comum os funcionários mais novos, que não o conheciam, cometerem algumas gafes. Certa vez, ele entrou de surpresa em uma das suas lojas de hotel e entregou uma lembrancinha para cada uma das vendedoras, sem maiores explicações, como era do seu feitio. Uma delas, com pouco tempo de casa, ao ver Hans deixar o presente sobre a sua mesa, chamou-o de volta: "Ei, moço, quanto é?", perguntou ao abrir o embrulho. Outra novata, ao perceber que ele estava deixando pacotinhos nas mesas dos vendedores, o repreendeu: "Senhor, por favor, leve esses seus produtos daqui. É proibido fazer vendas na loja."

Hans cultivava a simplicidade por duas razões: primeiro por temer que as pessoas invejassem seu sucesso e tentassem prejudicá-lo. Segundo, porque tinha verdadeiro horror à ostentação, que considerava algo vulgar. Anos depois de comprar a lancha, finalmente comprou também um carro. Para ele, no entanto, o veículo era apenas um divertimento, jamais um símbolo de status. Tanto que costumava emprestá-lo aos amigos sempre que pediam. Rudi era um deles. Uma vez, Hans deixou o carro com Rudi e foi para casa dormir. Foi despertado depois da meia-noite pelo amigo, que, com cara assustada, lhe pedia desculpas por ter amassado a roda do veículo ao bater em um paralelepípedo. Hans o repreendeu. "Você precisava me acordar a essa hora para falar uma bobagem dessas? Pode deixar que amanhã eu mando consertar." Rudi gostava de contar essa história, que considerava reveladora do desprendimento de Hans, que jamais tocara no assunto do carro com ele. Dessa forma, Hans foi construindo uma devotada equipe de executivos e funcionários.

Por trás do estilo diplomático, no entanto, esforçava-se para controlar sua impaciência. Em sua sala, o rádio ficava sintonizado em uma estação de música clássica que ele ouvia durante todo o dia. Se o interlocutor o desagradava, ele se desligava completamente da conversa, concentrando-se na música. Com um aperto de mão, encerrava uma conversa deixando a outra parte sem saída que não a de se despedir dele, ainda que tivesse mais coisas a dizer. Odiava reuniões e estabelecia sua duração antes de começarem. Às vezes, elas acabavam antes que os interlocutores tivessem tido tempo de tomar todo o café da xícara.

Apesar dos modos gentis, havia nele uma indisfarçada arrogância, que tinha a ver com a sua superioridade intelectual. O mundo, para ele, era dividido entre dois tipos de pessoas: as burras e as inteligentes. As burras, ele não tolerava e era incapaz de ser condescendente com elas. Simplesmente não as queria por perto.

Também tinha pouca paciência para longos colóquios. Para se livrar de conversas presenciais e também de possíveis mal-entendidos, estabeleceu uma regra na empresa. Mandou fabricar milhares de blocos de papel com o seguinte cabeçalho impresso: "Não Fale, Escreva", que logo seria substituído pelo acrônimo, "NFE". O NFE se tornaria a principal ferramenta de comunicação entre executivos, gerentes e funcionários. Como era obcecado por máquinas de escrever, Hans mandava os bilhetes redigidos a máquina com suas orientações ou pedidos de informações para os destinatários, cujas respostas deveriam vir da mesma forma. Era uma versão primitiva do e-mail atual. Ao receber o bilhete, o receptor tinha que datilografar a resposta em outro bilhete, grampeá-la ao original e passá-la adiante. Assim, ao final do dia ou da semana, havia uma extensíssima fita de papéis grampeados uns aos outros. Caso alguém tentasse negar o que fez ou o que disse, ou que não foi comunicado de certa ordem, os papeluchos estavam ali para tirar a prova.

A máquina de escrever predileta de Hans era a Hermes Baby. Ele tinha uma em cada escritório onde a H.Stern estava instalada para que pudesse usá-las em suas correspondências NFE. Se ocorria de um executivo falar mal do outro e mandar o bilhete para Hans, ele tratava de repassar a mensagem para o destinatário da crítica, o que, muitas vezes, causava sérios constrangimentos e até algumas inimizades.

Ao cometer essas indiscrições, Hans, sutilmente, começara a adotar um novo comportamento para controlar os executivos de todas as áreas. O homem gentil estava se ajustando ao crescimento da empresa. De certa forma, a divisão entre os diretores que disputavam a aprovação do dono o ajudava a manter-se informado sobre tudo o que acontecia na empresa. Em tempos pré-internet, em que os controles e sistemas eram escassos ou inexistentes, as informações chegavam a ele muitas vezes através dos descontentamentos mútuos de seus diretores. Com lojas espalhadas pelo mundo, muitas das quais ele visitava apenas uma vez por ano, montou uma rede de confiança que raramente lhe causava problemas. Hans tinha o controle total do império que começara a criar.

◆

capítulo XVI

Ruth

Uma das amizades que o jovem Hans fizera no Brasil fora com Fritz Beildeck. Os dois se conheceram quando Hans ainda trabalhava na Cristab e, para complementar sua renda, datilografava a correspondência de vários judeus alemães recém-chegados ao país. Como era exímio datilógrafo, conseguiu muitos clientes, entre eles Beildeck. O trabalho era executado após o expediente na Cristab, geralmente nas casas das pessoas que contratavam seus serviços. Como, em razão das correspondências, ele acabava sabendo um pouco da vida de todo mundo, descobriu, nas cartas que datilografava para Beildeck, que ele tinha sido vizinho de sua família em Essen, embora só tivessem se conhecido no Rio. Esta coincidência manteve os laços de amizade entre os dois, mesmo após Hans ter abandonado os bicos que fazia como datilógrafo para se dedicar integralmente à sua empresa, que, nos anos 1950, já se transformara em um negócio importante.

Foi numa tarde de 1957, em uma das visitas que costumava fazer aos Beildeck, que Hans avistou, sob o console da sala, uma fotografia emoldurada de uma jovem loura, de pele muito clara e olhos azuis cristalinos. Ao notar o interesse de Hans pela foto, o amigo comentou tratar-se de sua sobrinha, Ruth. A jovem, então com 21 anos, nascera na

Alemanha, mas saíra de lá em 1938, aos 2 anos, com os pais, também fugindo da perseguição nazista. A família tentou, inicialmente, visto para o Brasil, para se unir aos parentes que já estavam aqui, mas como lhes foi negado, os pais – Walter e Martha – junto com a filha emigraram para Montevidéu, no Uruguai. Precisaram esperar até quase o final do governo Getúlio, em 1945, a fim de receberem autorização para se mudarem para o Brasil. Lá, o casal teve outra criança, dessa vez um menino, Pedro.

Ruth tinha poucas lembranças da Alemanha, mas acompanhou pelo rádio, emocionada ao lado dos pais, o desfecho final da guerra e a derrocada nazista. Terminada a guerra, o irmão de Walter insistiu para que ele emigrasse para o Brasil, para se associar a ele em um negócio em expansão, uma loja de roupas femininas chamada Mademoiselle Modas, no Largo do Machado, um bairro próximo ao Centro. Ao chamar Walter para sócio, o irmão tinha em mente também ter Martha trabalhando com eles. Ela havia feito um curso de corte e costura ainda na Alemanha e, ao se mudar para o Uruguai, começou a reformar e a fazer vestidos para outros imigrantes. Logo abriria um negócio próprio de venda de punhos e golas de renda, os jabots, que ela mesma confeccionava. As peças eram usadas para suavizar os quase obrigatórios tailleurs azul-marinho ou cinza. Martha vendia sua produção no atacado para lojas de departamentos de Montevidéu. Ruth costumava ajudar a mãe no negócio, passando as peças a ferro.

Quando, finalmente, mudou-se para o Brasil, a família instalou-se em Copacabana, na rua Joaquim Nabuco. No Rio, Martha passou a fazer peças de lingerie, camisolas e robes de seda, coisa rara por aqui naquela época, para vendê-las na Mademoiselle Modas. As peças, de grande delicadeza e capricho, logo viraram febre entre as mulheres. Ruth, nessa época com 12 anos, estudava no colégio Bennett e costumava sair da escola para render a mãe no caixa da loja, para que ela pudesse almoçar. Assim, desde pequena, teve contato com o mundo dos negócios.

Sua inclinação, porém, era para línguas. Ainda muito jovem, já falava espanhol, alemão, português, francês e inglês fluentes. Acabou especializando-se como tradutora, embora este não fosse seu sonho inicial. Queria ser médica, mas foi desestimulada pelo pai, que achava o curso muito sacrificante para uma moça. Na tarde em que Hans viu sua foto na casa de Beildeck, Ruth estava morando em Genebra, cursando tradução. Hans, imediatamente, decidiu conhecê-la.

Em uma de suas viagens à Europa a negócios, deu um jeito de encontrá-la. Com o endereço em mãos, que pegara com os pais da moça, voou até Genebra e foi procurá-la. Não a encontrou em casa, mas deixou um bilhete dizendo ser portador de alguns livros que a mãe havia lhe mandado. Ruth, com os cabelos presos em um rabo de cavalo, montou em sua bicicleta, que era como se locomovia pela cidade, e foi ao encontro do tal sujeito para buscar os livros. Ao ter com Hans, soube que não havia qualquer encomenda para ela. Na verdade, fora um artifício que ele usara para vê-la. Ele deixou claro seu interesse por ela, convidando-a para jantar. Convite que ela, polidamente, recusou. Ruth namorava um colega de universidade e não manifestou qualquer interesse por Hans, para o desconsolo dele, que voltou acabrunhado para o Brasil.

No verão de 1958, Ruth veio de férias para o Rio e trouxe com ela uma amiga francesa. Aqui, a amiga mostrou-se interessada em comprar suvenires. Martha sugeriu a Ruth que a levasse à loja da H.Stern, no Centro, onde havia um bom espaço de venda de artigos turísticos brasileiros. Essa sala era a paixão de Kurt. Quando soube da presença de Ruth na loja, Hans veio encontrá-la, e tratou de paparicá-la presenteando a sua amiga com uma enorme figa de prata. E aproveitou a oportunidade para marcar um novo encontro. Convidou-as para um passeio no fim de semana em sua lancha, a *Água-Marinha*. Os três navegaram pelas águas calmas da baía em uma ensolarada manhã de janeiro. Em seguida, Hans levou-as para almoçar em um restaurante austríaco em Copacabana, o Vindobona, então um dos melhores da cidade, ainda muito carente desse tipo de serviço.

Após este encontro, passaram a sair juntos, e Ruth foi apresentada aos amigos dele. Quando as férias dela acabaram, ela não pôde retornar para a Europa por problemas com o seu passaporte. Acabou ficando por aqui. Hans virou sua companhia constante. Ela o achava curioso, cheio de interesses. E passou a notá-lo.

Hans a levava para coquetéis em embaixadas e eventos de negócios. "Acho que ele queria testar como eu me comportaria", ela diria depois. Nessas ocasiões, ela trajava vestidos feitos pela mãe, luvas e delicadas joias. *Comme il faut!* Logo noivaram, embora, em um primeiro momento, Martha não tivesse ficado satisfeita em ver sua jovem e única filha unir-se a um homem treze anos mais velho do que ela, dono de um carro e uma lancha (muito pequena, Ruth fazia questão de lembrar) – algo incomum no Brasil dos anos 1950 – e, ainda por cima, com fama de mulherengo.

1

2

Casaram-se em junho daquele ano. A cerimônia foi em grande estilo. Uma festa para mais de cem pessoas, um acontecimento para a época. Ruth achava que o noivo aproveitara o momento para fazer *networking*, pois boa parte do mundo dos negócios e diplomático esteve no evento.

Um ano depois, nasceria o primeiro filho do casal, Roberto. Após dois anos e meio, eles teriam o segundo menino, Ronaldo, e, em 1964, viria Ricardo. O quarto bebê, Rafael, temporão, nasceria em 1973.

3

Roberto era um menino compenetrado. Por conta própria, cuidava dos irmãos, principalmente quando estava na casa de férias da família, em Teresópolis, um chalé projetado por Kurt. Empurrava Ronaldo no velocípede e caminhava de mãos dadas com Ricardo para que o irmão não caísse. Ele se impusera o dever de proteger os menores. Eram anos felizes para a família, não apenas na vida pessoal.

A H.Stern expandia-se e Ruth era companheira inseparável do marido. Hans continuava obcecado com a ideia de abrir lojas pelo mundo. "*Show the flag*", insistia. Em uma viagem à Colômbia, ele caiu ao

1 Casal Ruth e Hans Stern.
2 Família Stern, década de 1970 (da esquerda para a direita): Roberto, Ronaldo, Rafael no colo de Hans, Ricardo e Ruth.
3 Laboratório gemológico.

descer uma escada e teve uma fratura exposta na perna. Foi levado a um hospital militar, o melhor da cidade, mas de aparência deplorável. Como os corredores estavam vazios e escuros, os médicos sugeriram que Ruth ficasse no centro cirúrgico, caso achasse melhor. Ela prontamente se colocou ao lado do marido e assistiu a toda a cirurgia, mantendo o sangue-frio e surpreendendo os médicos, que temiam que ela tivesse um mal-estar. Ali, serena diante da situação, teve a certeza de que poderia ter sido uma boa médica, caso o pai tivesse permitido.

Hans teve alta hospitalar e pôde voltar ao hotel, mas o casal teve que passar algumas semanas na cidade até que ele pudesse tomar um avião de volta ao Brasil. Ele não se lamentou. Aproveitou a longa estada forçada para abrir uma segunda loja da H.Stern na Colômbia, no Hotel Hilton, onde estava hospedado. Saiu de lá com o negócio fechado.

No final da década de 1950, a H.Stern já ganhara fama graças ao marketing inovador do dono e de seus diretores. Além disso, a empresa investia cada vez mais na qualidade de seus produtos. No final de 1958, instalou o primeiro laboratório gemológico particular da América Latina e trouxe um especialista alemão para tocá-lo. O laboratório analisava todas as pedras do estoque da empresa, revelando a pureza e o teor das gemas. Assim, a firma ganhava fama pela confiabilidade de suas joias. A gramatura do ouro, por exemplo, tinha que ter exatos 18 quilates. Se a joia tivesse 17,5 quilates, era devolvida, destruída e refeita. Uma cultura que ele jamais permitiria que se perdesse na empresa.

Um ano depois da aquisição do laboratório, eles lançaram a H.Stern no mundo da moda ao organizarem os primeiros desfiles de joias. As modelos, com vestidos bufantes, circulavam entre os convidados exibindo colares, pulseiras e anéis, em que as pedras eram protagonistas. Hans era pródigo em ideias para fazer o negócio prosperar. Ainda em 1959, criou um departamento de arte para desenvolver os desenhos das joias. Quanto mais crescia, mais a empresa se profissionalizava. Em um movimento raro para a época, a H.Stern montou uma área de recursos humanos, instituiu benefícios e criou uma fundação para os funcionários. Outra inovação foi a revista *Sternando,* que contava as novidades da joalheria mesclada com histórias da cidade.

No começo dos anos 1960, o Brasil era uma festa e o país via a si mesmo com grandes expectativas. Hans soube aproveitar o momento. O curta-metragem sobre pedras e joias brasileiras, produzido pelo cinegrafista francês Jean Manzon, radicado no Brasil, para ser projetado a bordo dos navios que se destinavam ao Rio, foi ganhador de vários prêmios internacionais, o que deu maior visibilidade à H.Stern e aguçou ainda mais a vontade de Hans de abrir lojas pela América Latina. Naquele ano, foram duas – uma em Quito e outra em Lima. Entusiasmados com a boa repercussão do curta, os diretores da H.Stern puseram-se a exibi-lo. Para surpresa deles, no entanto, não tinham direitos de uso sobre o filme, que haviam produzido e que lhes custara uma fortuna. Todas as vezes que queriam exibi-lo, precisavam pagar direitos autorais ao cineasta, que exigia preços absurdos por cada cópia.

Nessa época, Kurt havia se tomado de grande entusiasmo com as possibilidades da joalheria. E sugeriu ao filho que fabricassem três grandes peças de impacto para mostrar a excelência da empresa. As peças ficaram tão bonitas que a H.Stern foi a única joalheria latino-americana a ser convidada para participar do maior evento artístico de joias do mundo: a International Exhibition of Modern Art, em Londres, patrocinada pelo Victoria and Albert Museum, que seria aberta no final de dezembro de 1960.

Uma das peças era um diadema com mais de 2 mil brilhantes, redondos, baguetes e navetes, todos brancos e puros, que pesava meio quilo e consumiu oito meses de trabalho dos ourives da H.Stern. A joia fora projetada de tal forma que era possível ser desmontada em duas pulseiras, dois anéis, dois *pendentifs*, dezoito broches e doze brincos. A outra era uma escultura, batizada de *Flora brasileira*, com 125 peças de ouro, pesando 4 quilos e cravejada de brilhantes. Em seu centro, foi esculpido à mão um tronco de árvore, sustentando uma bromélia de platina com mais de quinhentos brilhantes e um miolo em rubi. Um fino mecanismo permitia que a flor abrisse e fechasse. A última, mas não menos importante, chamava-se *Ressurreição* e tinha inspiração religiosa. Foi feita sobre um fundo de ametista e pesava 20 quilos. No centro da pedra, foi colocada uma cruz de platina cravejada com mais

2

4

1 Peças partes do diadema: duas pulseiras, dois anéis, dois pendentes, dezoito broches e doze brincos.

2 Diadema montado: todo confeccionado em platina, com mais de 2 mil brilhantes.

3 *Ressurreição*: obra de arte, de inspiração religiosa, com base de pedra ágata bicolor, pesando 20 quilos, adornos de topázios e 1.167 brilhantes.

4 *Flora brasileira*: obra de arte, com 125 peças de ouro, pesando 4 quilos, cravejada com brilhantes e pedras preciosas. Um mecanismo invisível fazia um movimento contínuo, abrindo e fechando as pétalas suavemente.

de mil brilhantes. A moldura da peça era em ouro quadrado e torcido.

Carlos Lacerda aprecia as obras de arte antes de seguirem para a International Exhibition of Modern Art, em Londres, patrocinada pelo Victoria and Albert Museum, que seria aberta no final de dezembro de 1960.

No Brasil, as três peças viraram um acontecimento. Antes de embarcarem para a Inglaterra, foram mostradas ao então governador da Guanabara, Carlos Lacerda, e ao arcebispo do Rio de Janeiro, dom Helder Câmara. A notícia foi publicada nos jornais mais importantes do Rio. Fizeram ainda uma escala em São Paulo, em 15 de dezembro, para que pudessem ser vistas por um combalido embaixador brasileiro, o outrora enérgico e polêmico jornalista Assis Chateaubriand. No final de fevereiro daquele ano, Chateaubriand, bastante abalado com a morte de seu irmão, Oswaldo, além dos problemas financeiros enfrentados pelo seu grupo – os Diários Associados – sofrera uma trombose. Chegou-se a pensar que ele não sobreviveria. Recuperou-se, mas perdeu a fala e os movimentos quase que completamente.

Quando Hans o visitou, ele estava licenciado do posto de embaixador, ao qual renunciaria em 31 de janeiro de 1961.

O primeiro contato de Hans com Chateaubriand se dera mais de um ano antes, de forma completamente inusitada. Certa manhã, Hans recebeu um telefonema em sua casa de alguém que se identificava como Assis Chateaubriand. O sujeito lhe explicou que tinha grande admiração pela H.Stern e gostaria de ter uma peça da joalheria na embaixada, em Londres, que ele assumira em 1957. Seguro de tratar-se de um trote, Hans sustentou a brincadeira dizendo ao interlocutor que seria um prazer ceder uma peça, desde que ele viesse buscá-la, pessoalmente, em sua casa.

Passados alguns dias, Hans avistou da janela de seu apartamento, em Copacabana, onde morava com Ruth, uma comitiva diplomática, cercada por um aparato de segurança, estacionar na frente de seu prédio. Do carro negro, com toda a pompa, desceu Assis Chateaubriand. Vinha buscar o presente que lhe fora prometido ao telefone. Hans, que sempre imaginara tratar-se de um trote, teve que providenciar, às pressas, uma escultura com pedras brasileiras para o embaixador.

As três peças levadas pela H.Stern para a exposição internacional logo se tornaram um sucesso. Nem bem a exposição acabara e o diadema foi vendido desmontado para clientes interessados nas joias que dali brotavam. A *Ressurreição* foi levada para o Japão para ser exposta, mas não por muito tempo: foi comprada por um templo budista. A *Flora brasileira* ficou ainda um tempo no Brasil, em exposição na sede da empresa, mas acabou vendida para um colecionador português, para a consternação dos funcionários, que se orgulhavam da escultura.

Hans e Kurt viviam tempos de grande criatividade e sentiam-se recompensados após tudo que haviam perdido tanto do lado emocional, quanto financeiro, ao deixarem a Alemanha há pouco mais de vinte anos. Agora, tudo corria bem para eles. A vida parecia fácil e eles estavam felizes. Kurt e Ilse mudaram-se para o 23º andar de um prédio no Flamengo. De sua janela, ele, de binóculo, acompanhava, deslumbrado, as obras de construção do aterro do Flamengo, cujos jardins estavam sendo projetados por Roberto Burle Marx.

Em uma tarde de 1963, durante uma conversa com Ruth, Kurt mostrou-lhe uma ferida na perna que não cicatrizava nunca. Com o olhar triste, de quem prenuncia uma dor inevitável, comentou com a nora que temia que o ferimento fosse sinal de um problema muito mais grave. Submeteu-se a vários exames e, quando os resultados finalmente chegaram, suas suspeitas se confirmaram: um câncer de fígado em estado avançado lhe consumia o corpo. Ele abriu o envelope com o laudo em sua sala, na H.Stern. Anna Fridman assistiu a quando, com uma expressão dolorida, ele respirou fundo e sussurrou, conformado, olhando pela janela. "Agora é o fim."

A última vez que Anna o viu com vida ele já não saía mais da cama de seu apartamento. Quando ela o visitou em seu quarto, ele acabara de estar com o neto, Roberto, então com 4 anos. Ao ver os olhos doces do menino que acabara de se despedir do avô, ele disse para Anna: "Este menino é bom." Kurt estava triste de se despedir do mundo. A vida, para ele, como dizia "o velho Goethe", era bela. Ele gostava da vida e das pessoas, de qualquer tipo: das mais simples às mais complexas. Encantava-se com elas e gostava de ouvir suas histórias. A tal ponto que ganhou o carinhoso apelido alemão de *Menschenfreund*, que, em português, significa "amigo de gente".

Kurt morreria em janeiro de 1964. Desesperada com a perda do marido, Ilse iria logo depois, após ingerir uma dose excessiva de calmantes. A perda do pai, que Hans considerava "o velho mais jovem que conhecera", seu amigo e parceiro de todos os momentos, foi a maior dor que teve na vida. A partir daí, Ruth se transformaria em sua maior conselheira.

capítulo XVII

Está lá fora um general

No começo dos anos 1960, os negócios no Brasil ainda eram pouco estruturados. Muitos setores careciam de regulamentação, entre eles o joalheiro, em razão, principalmente, de o mercado de compra de ouro e de pedras ser completamente informal. Tanto as minas como a atividade de extração do metal nos grotões do país funcionavam sem qualquer controle. A fiscalização só se dava na ponta de venda das joias, ou seja, nas joalherias, sobre as quais incidia o imposto sobre consumo. Em 1963, com tremendas dificuldades de caixa, o governo de João Goulart precisava desesperadamente aumentar a arrecadação federal. E partiu para cima dos comerciantes, colocando no comando do Serviço Federal de Prevenção e Repressão de infrações contra a Fazenda Nacional, o SFPR, da Guanabara, um general chamado Francisco Saraiva Martins, conhecido como general Saraiva.

O general abraçou a missão com disposição e fúria. Passou a invadir as lojas e apreender mercadorias sem que os lojistas soubessem sequer o que estava sendo recolhido e, pior, sem qualquer prévia fiscalização para saber se a medida era justa. A H.Stern, que à época ganhara grande visibilidade, virou um dos alvos favoritos do militar. A contabilidade da joalheria, como a da maioria das empresas naquela época, era confusa, com controles frágeis. Embora só trabalhasse com mercadoria legalizada, era um suplício mostrar as notas fiscais de pedras e de ouro compradas junto a garimpeiros, pois estes trabalhavam na informalidade. Aproveitando-se dessa fragilidade, o general passou a confiscar as joias arbitrariamente. A confusão estava armada.

Com tamanha facilidade para se apossar de peças tão valiosas, logo a turma encarregada da fiscalização formou uma gangue e transformou as expropriações em um negócio rentável para o grupo. Sequer emitiam laudos de apreensão ou documentos com cobrança de multas por falha na arrecadação de impostos sobre o consumo, supostamente devidos.

Na verdade, só quem ganhava com as ações eram o general e sua turma, já que o Estado não aumentaria em um centavo a sua arrecadação com as operações inopinadas que faziam nas empresas.

Cansados de ter os seus estoques constantemente surrupiados sem qualquer justificativa legal, os diretores da H.Stern resolveram se defender. A primeira reação partiu das funcionárias, que, ao serem avisadas da presença do general na firma, passaram a recolher as joias e a escondê-las nas roupas íntimas para que não fossem levadas. Foi a saída que encontraram, já que suas bolsas eram constantemente revistadas pelos fiscais.

A truculência era tamanha que, algumas vezes, beirava o ridículo. Uma tarde, Armando Gomes, um jovem contador então recém-contratado pela H.Stern, foi ao banheiro e, ao lavar as mãos, retirou do dedo anular o seu anel profissional, com uma pedra de rubi incrustada. Saiu do local ainda colocando a joia, quando foi abordado pelos fiscais, que queriam confiscá-lo. Armando, nervoso, alertou que o anel era seu e já estava pronto para pedir demissão da empresa, achando que estavam duvidando de sua integridade, quando soube tratar-se do grupo do general.

No setor de diamantes, uma das funcionárias, Elizabeth, descobriu na gaveta de sua mesa um revólver que pertencia a um dos fiscais que estava incumbido de vigiá-la. Como era casada com um coronel e tinha contato com armas, não se intimidou. Pegou o revólver e o apontou para o fiscal (nessas alturas, apavorado) e, ameaçadora, disse que não queria aquela arma ali.

Apesar dos esforços dos funcionários para esconder a mercadoria, caixas e mais caixas de joias eram levadas para o Ministério da Fazenda, na avenida Antônio Carlos, no Centro do Rio. Em uma dessas apreensões, o advogado da empresa, Celso Parente de Mello, conseguiu uma liminar judicial ordenando a sua devolução, e as caixas voltaram para a empresa, trazidas por oficiais de justiça.

Inconformado com a decisão, na manhã seguinte, bem cedo, o general voltou com os fiscais para apreendê-las novamente. Foi um Deus nos acuda. Um dos diretores da H.Stern, Stefan Barczinski, proibiu a entrada deles na empresa. Já os funcionários, ao saberem da chegada dos fiscais, cercaram o prédio, impedindo que eles subissem. O general reagiu e chamou uma tropa do exército para invadir a H.Stern, que, nessa época, já ocupava vários andares do prédio da avenida Rio Branco. A ordem era não deixar ninguém entrar ou sair do edifício. Com a empresa ocupada, o general ligou para Leonel Brizola, seu amigo e então apresentador de um programa bastante popular na rádio Mayrink Veiga, o *Grupo dos Onze*, e relatou o ocorrido. Brizola não perdeu tempo: aos brados atacou a empresa, chamando os seus donos de "espoliadores da nação".

O clima esquentou. As tropas só se retiraram do prédio após a chegada do advogado com um mandado judicial em mãos exigindo sua saída. As caixas com as joias foram depois abertas por fiscais legalmente capacitados para fiscalizar os produtos. Durante quase um ano, três fiscais ficaram na empresa acertando o estoque físico com o fiscal. Mas tudo em clima de paz.

O caso, porém, não parou aí. Revoltados com a truculência do general Saraiva, os joalheiros da Guanabara iniciaram um movimento para pôr fim às arbitrariedades. Como as denúncias se intensificaram, as ações do Serviço Federal de Prevenção e Repressão deram motivo para a abertura de uma Comissão Parlamentar de Inquérito na Câmara dos Deputados.

Na investigação, os deputados descobriram que os fiscais faziam as operações com intuito de achacar os comerciantes. E concluíram que, além das ações abusivas e corruptas, os fiscais deveriam ser investigados também por ameaçar os comerciantes, mantê-los em cárcere privado, violar seus domicílios, entre outros delitos.

As pressões sobre o empresariado, no entanto, não se limitavam ao poder público. Alguns jornais cariocas tentaram se aproveitar da situação enviando emissários à H.Stern para extorquir a empresa. Um desses jornais era a *Tribuna da Imprensa,* que pediu dinheiro em troca de "deixar de publicar reportagens negativas" a respeito da joalheria. Hans Stern disse não. "Se nos sujeitarmos à chantagem dessa imprensa marrom, nunca mais nos livraremos dela", disse a seus diretores. Chantagem era para Hans algo intolerável. E, novamente, o advogado Celso Parente de Mello foi acionado para colocar fim à chicana. Os jornalistas, com medo de serem processados, pararam com as ameaças.

As confusões no mercado interno não impediam a expansão da empresa. Em meados dos anos 1960, a H.Stern já ganhara o mundo para além do continente americano. Tinha lojas em Tel-Aviv, Dusseldorf, Frankfurt e Lisboa. Uma das paixões de Hans era a cadeia de hotéis Hilton. Era nele que abria a maior parte de seu comércio.

Em 1964, a prestigiosa revista *Time* contribuiu, involuntariamente, com o sucesso do negócio ao estampar uma reportagem com o título: "Um homem de muitas facetas." A reportagem, com a foto de Hans no centro da página, falava da beleza das pedras brasileiras e de como ele as transformara em objeto de desejo, elevando-as à categoria de preciosas. A reportagem se referia a ele como "o rei dos diamantes do continente" e dizia que, "em qualquer lugar onde o viajante estivesse na América Latina, raramente poderia escapar à sedução de um brasileiro pequeno e delgado, chamado Hans Stern". Foi um acontecimento para a joalheria.

Com a reputação em alta, Hans corria o mundo não só em busca de novos negócios, mas também com o intuito de divulgar a marca. Ruth o acompanhava em quase todas as viagens, observando atentamente a movimentação do marido. O mundo do varejo não era mistério para ela, que passara boa parte da adolescência ajudando na loja dos pais. E Hans, percebendo o interesse da mulher, cada vez mais se aconselhava com ela.

Os dois amavam as viagens, mas sempre mantiveram hábitos simples. Ruth, como o marido, era discreta, usava pouca ou quase nenhuma joia, deixando o luxo apenas para ocasiões especiais, geralmente eventos de negócios do marido. Além de viajar, o casal frequentava galerias de arte, assistia a concertos, óperas, visitava lojas de discos e livrarias, onde Hans consumia quantidades de livros, quase todos relacionados ao nazismo e ao holocausto. Embora totalmente adaptado ao Brasil, ele tinha uma curiosidade de patologista sobre o que levara a Alemanha, que ele considerava um dos países mais civilizados do mundo, a embarcar na loucura de Hitler. Passou a vida tentando compreender o que se passara com o seu país. Não com sentimento de ódio, mas de perplexidade.

Nunca deixou de amar a Alemanha. Tanto que, após Israel, foi o seu país de origem o segundo a ter lojas da H.Stern quando elas se expandiram para além das Américas. Em uma das viagens para tratar dos interesses da empresa, Hans voltou a Essen, sua cidade natal. Assistiu, emocionado, em um canto de uma das salas de sua velha escola, o Helmholtz Realgymnasium, a uma aula de seu antigo professor de música, que sempre o incentivara. Foi um instante de grata emoção para os dois.

Em 1968, a H.Stern começaria a viver tempos curiosos. Sua filial de São Paulo passara a atrair os consumidores brasileiros. Era uma novidade para a empresa, cujo foco até então sempre fora os turistas estrangeiros. Parte desta virada era de responsabilidade de um executivo que Hans contratara, naquele ano, para cuidar da loja paulistana: Gerd Tykocinski. Era o primeiro profissional com experiência pregressa de mercado. Os diretores do Rio, quase todos, tinham feito carreira apenas na H.Stern e estavam ali desde muito novos. Para alguns, como Anna Fridman e Rudi Herz, a H.Stern fora o primeiro e único emprego.

Com Gerd era diferente. Ele vinha da Volkswagen e tinha grande experiência em propaganda e marketing. Sua chegada deu um novo impulso à companhia. Na época do Natal e datas especiais, os clientes brasileiros faziam fila na porta do prédio da loja da H.Stern, na Praça da República, em São Paulo, em busca de suas joias. Um comportamento a que a empresa não estava acostumada. Geralmente, eram os estrangeiros que aguardavam na porta.

Gerd conseguira atrair o consumidor local mudando o conceito das joias. Da oficina de São Paulo saíam peças diferentes das do Rio, que caíram no gosto dos brasileiros. Logo, a H.Stern abriria uma loja na Augusta, a rua mais badalada de São Paulo. A joalheria, definitivamente, atraíra a classe alta brasileira.

capítulo XVIII

Um vexame real

Dois acontecimentos despertavam a atenção dos brasileiros em novembro de 1968: a visita da rainha Elizabeth II e o lançamento da pedra fundamental para a construção da ponte Rio-Niterói, um projeto idealizado havia um século, mas que só naquele ano começara a sair do papel. A expectativa com a chegada da rainha deixara os brasileiros e a imprensa nacional em polvorosa, como se fossem seus súditos. *God save the Queen*, as televisões e rádios bradavam, dias antes da chegada de Sua Majestade, provocando um frisson de norte a sul do país. A expectativa com a chegada da rainha era tanta que, meses antes, o colunista Ibrahim Sued – muito próximo da então primeira-dama Yolanda Costa e Silva, mulher do general Artur da Costa e Silva, o segundo presidente brasileiro após o golpe militar de 1964 – procurou a H.Stern com a seguinte proposta: enfeitar com ouro e gemas brasileiras um manto com que a primeira-dama presentearia Elizabeth II.

A H.Stern se interessou pela ideia. Achava que daria um excelente retorno para a joalheria, já que o manto bordado certamente ganharia destaque na imprensa local e internacional. Coube a Ibrahim Sued providenciar a visita da primeira-dama e de sua estilista, Zuzu Angel – que confeccionaria a peça – à H.Stern, para explicarem o projeto.

Os ourives da joalheria se empolgaram e deram tudo de si para bordá-lo a tempo para a chegada da rainha, já que o prazo era apertado. Quando acabaram, levaram-no para a direção da empresa. Foi uma sensação. Ficara magnífico.

A rainha chegou causando furor. Uma multidão aglomerou-se nas ruas de Brasília, Recife e do Rio para vê-la passar. No Rio, os banhistas saíam da praia em trajes de banho para saudá-la quando de sua passagem pela avenida Atlântica, em carro aberto, ao lado do príncipe Philip, seu marido. No dia 9 de novembro, o casal real participou da cerimônia de lançamento da pedra fundamental da construção da ponte, já que os bancos ingleses emprestariam parte do dinheiro para a obra, um negócio bastante rentável para a Inglaterra.

Se nas ruas o clima era de festa, na H.Stern era de consternação. O manto fora enviado à rainha, mas imediatamente devolvido pela embaixada britânica com a explicação de que o protocolo real proibia que Sua Majestade aceitasse peças de roupa.

Quando o vexame veio a público, Ibrahim, d. Yolanda e Zuzu Angel tiraram o corpo fora dizendo que a ideia tinha sido da H.Stern, a fim de se promover. Para a joalheria, sobrou o constrangimento. Sem ter o que fazer, a H.Stern recebeu a peça de volta. Seus ourives retiraram os apliques de ouro e as pedras para reaproveitá-los em outras joias. Ficaram tristes e decepcionados. Tinham se empenhado tanto naquele projeto para, no final, virarem motivo de chacota.

O episódio, no entanto, seria rapidamente esquecido. A H.Stern tinha motivos para estar eufórica com outro assunto. A *Reader's Digest*, uma das mais importantes publicações americanas da época, com tradução em vários países, fez uma extensa reportagem de capa com a empresa, revelando os encantos da joalheria. Logo, leitores europeus, americanos e brasileiros ficaram conhecendo minuciosamente o caprichoso trabalho da H.Stern. Choveram cartas do mundo todo parabenizando Hans Stern pelas suas joias. Algumas delas acompanhadas de pedidos de presente, principalmente de anéis e alianças.

Em dezembro, contudo, passado o clima de festa com a chegada do casal real, os brasileiros também teriam coisas muito mais graves com o que se preocupar. No dia 13 daquele mês, o governo militar fechou o Congresso e baixou o Ato Institucional número 5, o famigerado AI-5, cassando o mandato de parlamentares e restringindo as liberdades civis. A ditadura se escancarava.

Os Stern mantinham a rotina de passar as férias de verão na idílica casa de Teresópolis. Nessas ocasiões, os meninos ficavam com a mãe e Hans subia a serra nos finais de semana para encontrar a família. Mas não parava de trabalhar. Em um fusca, dirigido por seu motorista, ele viajava na parte traseira, acompanhado de sua secretária, que datilografava cartas ditadas pelo patrão, na máquina de escrever Hermes Baby, instalada no seu colo. Os meninos achavam aquilo tudo muito natural. A Hermes Baby era quase uma extensão de Hans.

Até que, já adolescentes, foram obrigados pelo pai a cursar datilografia. Hans era intransigente com isso. Durante as férias, Roberto, Ronaldo e Ricardo várias vezes iam de Teresópolis para o Rio, de ônibus, para terem aula de datilografia, no curso TED, em Ipanema.

Para os meninos, era um suplício deixar a casa na montanha e passar as tardes datilografando na calorenta sala do curso. Ao final, todos aprenderam a datilografar usando os dez dedos, o que Hans considerava um aprendizado fundamental para o futuro deles. Quando teve idade, Rafael, o caçula, também cumpriu a mesma obrigação.

Em 1971, a H.Stern, que começara com apenas uma sala acanhada no prédio da avenida Rio Branco, 173, já ocupava dezessete andares do edifício. Hans achou que não havia mais como a empresa se expandir naquele espaço e comprou um terreno em Ipanema, na rua Garcia d'Ávila, que, anos depois, se transformaria no endereço de luxo da cidade. Ali, em 1975, começou a construção de um prédio para ser a sede mundial da empresa.

Até aquele ano, a joalheria havia se expandido para várias cidades da Europa, inclusive Paris, em 1970. Também ganhara dois prêmios de excelência mundial: o Diamonds International Award e o Prix de la Ville de Genève. Esses reconhecimentos ajudaram a alavancar as exportações da companhia, que cresciam velozmente. A estratégia do *show the flag*, mostrar a marca, dera resultado. A H.Stern era agora conhecida mundialmente, o que atraía cada vez mais compradores de fora do Brasil.

Relógio vencedor do Prix de la Ville de Genève.

Mas foi em 1977 que Hans sentiu que realmente conquistara o mundo. No verão daquele ano, a joalheria abriria uma enorme loja na Quinta Avenida, em Nova York. O nome H.Stern chegava ao coração do maior centro de consumo mundial. Foi um momento de grande vibração na empresa.

Enquanto o pai fincava a bandeira da sua marca na meca do capitalismo, Roberto comemorava a sua entrada para o curso de economia da Universidade Federal do Rio de Janeiro. E, para surpresa de Hans, logo o filho se interessaria pelas teoristas marxistas. Roberto começou a se empolgar com o tema, tomado pelo espírito da juventude da época.

Hans preferiu não discutir, tampouco brigar com ele, embora fosse um ardoroso defensor da livre iniciativa. Simplesmente tomou a decisão de levar os dois filhos mais velhos para uma viagem de férias pela União Soviética, o que, naquela ocasião, significava uma grande aventura. Junto com Ruth, os quatro embarcaram para a Suíça, de onde seguiram para Moscou. Do ponto de vista ideológico, a viagem foi um sucesso para Hans e uma desilusão para os rapazes. Nada funcionava no país. Tudo era difícil – do transporte ao consumo de um simples sanduíche. O ônibus que os levara para uma excursão enguiçara e eles levaram horas à espera de um resgate sem ter o que comer nem beber, pois não havia nenhum comércio onde coisas básicas como comida pudessem ser encontradas. Além disso, os turistas eram seguidos o tempo todo por um agente que os impedia de se afastarem do guia para fazer descobertas por conta própria. A viagem se transformara em um suplício. Acabava ali a utopia de Roberto com a União Soviética. Hans não comentou mais nada com o filho. Deixou que tirasse suas próprias conclusões.

Embora seus instintos estivessem bem acima do dinheiro – "*It's only the money*", ele costumava dizer para Ruth quando ela reclamava de alguma perda financeira (o dinheiro, para ele, só fazia sentido para ser investido na empresa)–, Hans simplesmente não tolerava a União Soviética e o comunismo. Não apenas por acreditar no capitalismo. Pesava também, nessa rejeição, sua mágoa com o país que investira de forma abjeta contra os judeus, principalmente durante a era stalinista.

No Brasil, no entanto, o capitalismo estava longe de ser um sucesso. Não só pelos sérios problemas econômicos e a terrivelmente injusta distribuição de renda, mas também pela péssima qualidade dos serviços, em particular a telefonia. Além disso, no começo dos anos 1980, o Rio começava a sofrer barbaramente com o aumento da violência, que expulsava as empresas para São Paulo e deixava os cidadãos nas ruas completamente vulneráveis.

Olaf Brandt era um alemão charmoso, que coordenara a abertura da loja da H.Stern no Hilton de Tel-Aviv e viera ao Rio nessa época para fazer um estágio na sede da joalheria. Conquistador, encantara-se com as cariocas e elas com ele. Após passar por vários percalços com os serviços brasileiros, Olaf daria sua definição sobre "a felicidade no Brasil", que viraria motivo de piada na H.Stern. Uma manhã, ele entrou sério na sala de um dos diretores e explanou o seu ponto de vista:

> A Alemanha é muito monótona e previsível. No Brasil, você tem inúmeras oportunidades de ser feliz. Você levanta o telefone do gancho e ele dá linha, você fica feliz; você abre a torneira e sai água, você fica feliz; você estaciona o carro na rua e, mais tarde,

você o encontra no mesmo lugar, você fica feliz novamente. Ainda mais quando você nota que ele não foi arrombado para levarem o seu rádio.

As coisas podiam não funcionar muito bem por aqui, mas o prédio da H.Stern, em Ipanema, ganhava forma. Uma das alegrias de Hans era visitar as obras da sede da empresa, que logo ficaria pronta. Ele chegava a Ipanema todos os dias, por volta das 7 da manhã, dirigindo o seu fusca, o único carro que possuía. Não que não pudesse ter outro melhor, mas porque carros não o encantavam. Bastava que andassem. Um homem simples, em um carro simples, visitando a futura sede da sua empresa, então já transformada na maior joalheria da América Latina.

No final de 1981, Roberto formou-se em economia. Com o diploma nas mãos, foi em busca de emprego. Encontrou trabalho em uma fábrica de móveis que lhe daria experiência de gestão e o ajudaria a se preparar para trabalhar na empresa do pai, o seu grande sonho desde criança.

capítulo XIX

Ipanema

O edifício-sede ficou pronto em 1982 e foi um sucesso para a época. A fachada imponente toda em vidro fumê chamava atenção de quem passava pela avenida Visconde de Pirajá, a artéria central de Ipanema, e pela Garcia D'Ávila, a rua lateral, onde estava instalado. Construir a sede da H.Stern no coração do bairro mais charmoso do Rio tinha sido um golpe de mestre de Hans. Primeiro porque, nessa época, o Centro da cidade perdia importância em razão da transferência das sedes de muitos bancos para São Paulo, resultado do temor dos executivos com os crescentes casos de sequestro no Rio (por medida de segurança, os bancos, principalmente os estrangeiros, preferiam transferir seus dirigentes para uma cidade mais segura).

Segundo, porque, ao se instalar em Ipanema, a H.Stern não só ficava em um dos lugares mais turísticos da cidade, em uma época em que o turista estrangeiro continuava sendo seu foco, como também marcava sua posição como joalheria de luxo. Com seu próprio prédio e o logo barroco fincado no topo, a empresa revelava a sua imponência. Para a cidade, o fato de a H.Stern inaugurar sua sede justamente em um momento em que todas as grandes empresas fugiam do Rio era também um alento e um sinal de confiança.

Na verdade, Hans jamais cogitou em transferir a sede da H.Stern para outro lugar. O Rio era a cidade que escolhera e ele ficaria ali para sempre. E sua maior alegria, agora que passaria a trabalhar em Ipanema, seria caminhar pelas ruas do bairro e parar para tomar um cafezinho, hábito que nunca abandonara, assim como o de saborear sorvetes, principalmente os de sabor café. Ao projetar a empresa, ele escolheu para sua sala, no 12° andar, um espaço com uma vista deslumbrante tanto para o mar de Ipanema como para a lagoa Rodrigo de Freitas e o Cristo Redentor. Não podia estar mais satisfeito com a mudança. A proximidade com o mar lhe facilitava a vida, pois costumava nadar quase todos os dias, antes de sair para o trabalho. Agora estava tudo mais fácil. Não precisaria enfrentar o trânsito difícil para o Centro, já que morava vizinho à empresa, no bairro do Leblon.

1

2

Havia ainda mais uma vantagem em relação ao prédio do Centro, onde as salas eram alugadas. Ali, no seu próprio espaço, poderia despachar na cobertura do prédio, sob o sol, olhando para as paisagens de que mais gostava. No edifício da Rio Branco, ele tinha por hábito utilizar a cobertura, enquanto trabalhava, para tomar sol. De calção e óculos escuros, despachava com sua secretária, dona Dirce, que, vestida com roupas convencionais, ouvia as ordens do chefe debaixo de um guarda-sol.

Os constantes banhos de sol de Hans no terraço não chamavam mais a atenção dos funcionários, que viam aquela excentricidade com total naturalidade, como se fosse algo comum de acontecer nas empresas. Agora, na sua própria sede, ele poderia se lagartear ao sol enquanto trabalhava, valendo-se de uma vista muito mais agradável, além de poder contar

1 Matriz da H.Stern, na rua Visconde de Pirajá, Ipanema, inaugurada em 1982.

2 Hans Stern com um de seus cachimbos.

com o reforço da brisa marinha para o seu prazer, já que o prédio ficava a duas quadras da praia. O sol, o mar e a vista das montanhas eram as grandes paixões de Hans. Como ele poderia pensar em deixar aquela "cidade maravilhosa do mundo", que o recebera de braços abertos?

Sua sala não era grande, nem luxuosa, mas confortável. A mesa fora instalada em uma quina, entre dois janelões de vidro, de onde ele não perdia nem um naco da paisagem ao redor. Sobre ela, ficava a sua inseparável Hermes Baby. Em um dos cantos da sala, foi instalada uma estante em madeira, que ele ocupara com livros, alguns arquivos com centenas de reportagens sobre a empresa ao longo do tempo, sua coleção de cachimbos, porta-retratos com fotos da família e, outro, em destaque, com a foto do pai, de olhos sorridentes, que parecia mirá-lo. No mesmo andar, ficavam as salas dos vice-presidentes da empresa: Anna, Rudi e Stefan. Uma pequena escada em caracol levava ao 13° andar, onde Hans mandou fazer uma sala de almoço. Ali, diariamente, ele almoçava, às 12h30 em ponto, junto com os vice-presidentes, que se autoapelidaram de marmiteiros, pois todos traziam comida de casa.

As semanas que antecederam a mudança do prédio da Rio Branco para a sede, em novembro de 1982, foram de muitas discussões. Afinal, tratava-se da transferência não apenas de papelada, móveis e arquivos, mas de centenas de milhares de joias, uma infinidade de pedras preciosas e ouro. Isso em uma época em que o Rio era considerado uma das cidades mais violentas do mundo. A solução parecia óbvia. Contratariam um carro-forte para fazer o transporte da carga.

Mas, então, veio a dúvida. E se o carro fosse assaltado? E se, ao saberem do teor da carga, os seguranças da transportadora a desviassem? Eram muitos "ses" nas longas reuniões preparatórias da logística do transporte do estoque. Foi então que Hans teve uma ideia. "E se usássemos nossos funcionários para fazer a mudança? Se todos aqui são da mais alta confiança, escalá-los para transportar os valores será o melhor meio dessas peças chegarem em segurança a Ipanema", propôs. Passado o impacto inicial, todos concordaram que arregimentar os funcionários seria realmente a forma mais segura de fazer aquela operação. Mas como fariam isso sem chamar atenção?

Iniciou-se, então, o projeto "Operação Formiguinha", como a estratégia foi chamada pela diretoria. No dia da mudança, em vez do caminhão de valores, os funcionários da empresa foram convocados. Para não chamar atenção, sairiam aos poucos do prédio, em dupla, carregando as joias e as pedras em bolsas de supermercado, tomariam um táxi e iriam para a sede da H.Stern. E assim foi feito. Durante um final de semana, o arquiteto André Solti, contratado para fazer o planejamento do edifício de Ipanema, coordenou a mudança: os 1.200 funcionários da H.Stern levaram do Centro para Ipanema, em sacolas de supermercado, 300 mil joias, além de ouro e pedras preciosas. A operação foi um sucesso. Ao final do dia, com o estoque em segurança no cofre da empresa, houve uma grande comemoração. E, claro, alívio.

Este espírito de solidariedade dos funcionários com a empresa sempre estivera presente na H.Stern. As relações eram feitas na base da confiança. Lealdade. Esse era o valor que Hans mais prezava. E ele mesmo se comportava dessa forma com os seus "colaboradores", como chamava os empregados. Às vésperas de um Natal, no começo dos anos 1980, justamente quando as vendas da H.Stern triplicavam, houve uma greve de ônibus na cidade. Como era um período em que todos os funcionários saíam mais tarde por causa do movimento, a falta de transporte público seria um transtorno para muitos deles. Organizou-se, então, na empresa, um mutirão. Os funcionários que tinham carro dariam carona aos que não tinham. Uma fila se formou na porta do prédio à espera das caronas. O esquema fora bem organizado e virara uma diversão. O motorista chegava e gritava o nome do bairro para onde ia, e os que se dirigiam para o mesmo lugar se apresentavam. Foi então que um fusquinha parou na frente da empresa e o motorista gritou com sua voz mansa: "Leblon, Leblon!" Era Hans Stern.

A mudança para a sede exigiu, porém, algumas importantes negociações com as funcionárias. Além da logística do transporte das joias, foi feito também um planejamento do que seria levado para Ipanema, pois se queria racionalizar o uso do espaço no novo prédio. Afinal, estavam desocupando dezessete andares de salas para ocuparem doze.

Os responsáveis pela mudança fizeram um levantamento de todo o mobiliário da empresa para definir o que seria levado. Verificou-se que em quase todas as seções havia arquivos metálicos, com quatro gavetões verticais, considerados essenciais pelas áreas chefiadas por mulheres. Quando a turma responsável por organizar a mudança fez o levantamento do conteúdo desses arquivos, constatou que estavam organizados, invariavelmente, da mesma maneira, e apresentou o seguinte relatório para a direção da empresa:

> 1 – Gavetão superior: pastas suspensas de papéis de manuseio frequente.
> 2 – Gavetão abaixo: pastas de papéis quase nunca manuseados.
> 3 – Terceiro gavetão: bolsas das funcionárias.
> 4 – Último gavetão: sapatos das funcionárias.

Diante de tamanha importância do conteúdo desses arquivos, foi preciso muita conversa com as chefes de seção até que concordassem em se desfazer de parte deles. O problema foi contornado com a promessa de que haveria armários de madeira para colocação desses objetos tão imprescindíveis para a ala feminina, a maioria na empresa.

Um ano depois da mudança da sede para Ipanema, Roberto finalmente seria admitido na empresa. Embora desde muito cedo estimulasse o filho, sutilmente, a se interessar pelo negócio, Hans achava que seria melhor Roberto passar antes por outras experiências. A fábrica de móveis fora a sua estreia no mundo real. Quando se transferiu para a H.Stern, porém, Roberto não teve qualquer facilidade. Temeroso de ser acusado de proteger o seu primogênito, Hans estabeleceu que Roberto ficaria sob as ordens de Anna Fridman. Tudo que ele quisesse resolver e discutir seria com ela. O rapaz logo soube que o pai não lhe daria moleza nem o trataria de forma benevolente. Roberto seguiria o protocolo de qualquer outro funcionário. E o rapaz obedeceu, embora desejasse muito mais estar sob as ordens do pai, a quem admirava profundamente pelo seu gênio instintivo para os negócios.

Naquele ano, Roberto teria o seu primeiro contato com uma grande campanha de marketing da H.Stern, que o deixaria fascinado e influenciaria o seu futuro. Gerd Tykocinski, da filial paulistana, ciente de que a atriz francesa Catherine Deneuve tinha criado uma linha de joias, conseguiu comprar os direitos de comercialização com exclusividade para todas as lojas da H.Stern. O contrato incluía ainda a presença da atriz em todos os eventos da joalheria para divulgar suas peças.

1

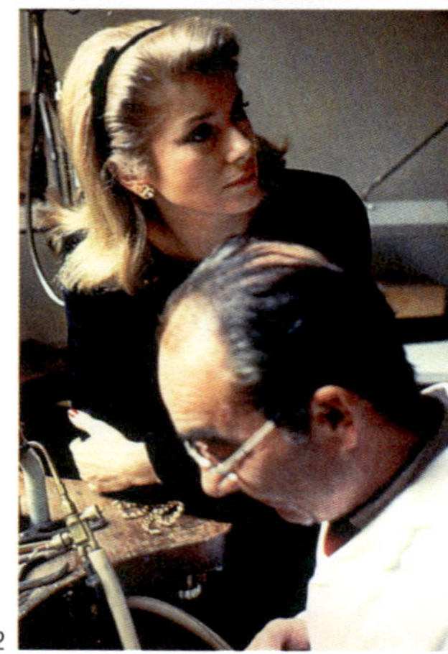

2

A linha refinada fez o maior sucesso, e o projeto de divulgação, bolado por Gerd, foi um dos mais bem-sucedidos da história da empresa. A chegada da atriz no Brasil para o lançamento das suas joias causou furor. Hans, orgulhoso, circulou com ela pela empresa cercado por jornalistas. Durante vários dias, os jornais estamparam fotos de Catherine desfilando suas joias pela H.Stern. A linha, no entanto, acabou não tendo continuidade por falta de novos modelos da parte dela, e de interesse por parte da H.Stern. Mas foi um momento de grande repercussão para a empresa, que nunca perdia a oportunidade de causar impacto com as novidades que lançava.

No final dos anos 1980, Roberto já havia se rebelado contra o comando de Anna Fridman e passara a tomar suas próprias decisões. O pai fazia vista grossa e deixava o rapaz buscar seus caminhos. Em uma das viagens de Hans, Roberto aproveitou para assumir um lugar de destaque na empresa. Certa tarde, Anna Fridman precisava desesperadamente de uma segunda assinatura de um vice-presidente para um documento, além da dela. Com todos fora da empresa, ela chamou Roberto e comunicou. "Roberto, liguei para o seu pai e expliquei a situação.

1 Catherine Deneuve com Hans Stern durante lançamento da sua coleção no Rio de Janeiro.

2 Catherine Deneuve visita as oficinas da H.Stern, no Rio de Janeiro, em 1983.

Preciso de um vice-presidente para assinar comigo este documento. Ficou decidido que você será promovido ao cargo, mas é só no papel." Roberto concordou.

Na reunião seguinte de diretoria, das quais ele sempre era excluído por não pertencer ao comando da companhia, ele entrou na sala e se sentou à mesa ao lado dos vices e do pai, que presidia a reunião. Para surpresa de todos, comunicou: "Boa tarde. Como vocês sabem, fui promovido a vice-presidente e, neste caso, a partir de hoje participarei de todas as reuniões."

Ninguém contestou sua presença ali. Trataram o caso com fingida naturalidade. A partir daquele momento, o filho assumia, com eles, o comando da H.Stern.

Somente um ano depois de sua autopromoção, Roberto foi chamado por Anna Fridman para informá-lo do ajuste do seu salário ao posto que ele passara a ocupar. Até então, seus proventos continuavam próximos aos de um office-boy.

capítulo XX

São Paulo era mesmo outro país

Em uma fria manhã de junho de 1991, Roberto Stern entrou na sala do vice-presidente Gerd Tykocinski, no prédio da H.Stern, na praça da República, em São Paulo, e, estendendo-lhe a mão

para um cumprimento, anunciou, de maneira um tanto constrangida, o motivo de sua visita: "Sou eu quem veio te substituir."

Gerd sorriu. Embora Roberto estivesse ali para lhe tirar o emprego, aceitou o cumprimento e respondeu tranquilamente: "Pois não, do que você precisa?" Gerd já esperava por aquilo. Só não sabia que seria ele o seu sucessor. Dias antes, tivera uma difícil conversa com Hans Stern. Avisara ao patrão, com quem trabalhava havia 23 anos, que não poderia dedicar-se integralmente à joalheria. Estava abrindo uma empresa no ramo de seguro de saúde e queria administrá-la. Para isso, teria que passar até metade da semana fora da H.Stern.

Na verdade, Gerd não suportava mais os vice-presidentes do Rio de Janeiro, reunidos em torno de Hans. A relação com eles se esgarçara a tal ponto que até mesmo ouvir-lhes a voz ao telefone lhe causava profunda irritação. Detestava todos e não se conformava de Hans continuar cercado por aquelas pessoas, que considerava ultrapassadas. As brigas e picuinhas de Gerd com os vice-presidentes no Rio eram quase diárias. Uma tarde, após uma das tantas discussões com um dos executivos, ele saiu da empresa direto para o hospital. Sua pressão chegara a 20. Quase enfartara.

A recíproca dos outros vice-presidentes em relação a ele era verdadeira. Tanto que os dias de estada de Gerd na matriz foram taxados pelos executivos de "sex day", o que queria dizer: "Hoje vem o Gerd foder a nossa paciência."

A razão das brigas eram as visões distintas de como tocar o negócio. Gerd pensava diferente deles desde a gestão, passando pelo produto, pelo estoque e pelas vendas. Com exceção dos produtos anunciados no catálogo, as mercadorias expostas nas lojas do Rio e de São Paulo eram distintas. Para o público interno, atento aos detalhes, aquilo era algo esquizofrênico. Pareciam quase duas empresas. Um produto vendido no Rio não era encontrado em São Paulo e vice-versa. Essa dicotomia era reforçada ainda mais pela crença de que o gosto do cliente de cada praça era diferente.

Do lado operacional, Gerd acumulara muitas funções em São Paulo. Não só cuidava de todas as áreas – finanças, pessoal, comercial, contabilidade, produção e vendas – como também era responsável pelo marketing do Brasil inteiro para o mercado doméstico, o que acabou criando rivalidades com a sede na disputa por poder.

Contudo, mesmo tendo consciência de que Gerd era seu vice-presidente mais completo, Hans não concordara com a sua proposta de dedicar só metade do tempo à empresa. Mas Gerd fora duro. Ou o patrão aceitava a proposta ou ele pediria demissão. Como Hans não aceitava, em nenhuma hipótese, aquele tipo de pressão, começou a pensar em uma saída. Além disso, embora considerasse Gerd um excelente executivo, já estava cansado do seu destempero emocional. Ele vivia às turras com todo mundo e tinha um jeito ríspido de falar com os funcionários que Hans não endossava.

Após discutir o assunto longamente com Ruth, durante um jantar, tomou a decisão de colocar Roberto na maior operação da H.Stern fora do Rio. Roberto, então com 31 anos, já trabalhava na empresa desde 1984 e, na opinião do pai, vinha fazendo um bom trabalho. Hans estava seguro de que o filho estava pronto para o desafio. Roberto não pensava da mesma forma. Quando o pai o chamou ao seu escritório, no 12º andar, e lhe confiou a missão, Roberto titubeou. Argumentou que aquela era uma tarefa muito grande para ele e que tinha medo de não dar conta.

Hans ouviu suas considerações e encerrou a conversa com um único comentário. "Tudo bem. Se você não for para São Paulo, eu terei que me submeter à chantagem do Gerd." O argumento do pai o desmontou. Roberto sabia que, para Hans, chantagem era algo intolerável, embora naquele momento fosse exatamente o que estava fazendo com o filho. Roberto deixou a sala angustiado. Passou quatro noites insones pensando na proposta. Finalmente, tomou a decisão. Iria para São Paulo. Sem falar com ninguém, levantou cedo e pegou o primeiro voo para Congonhas, em um Electra da Varig. Entrou no prédio da empresa e foi direto para a sala de Gerd, com o coração acelerado.

No fim das contas, Gerd ficara satisfeito de ser substituído pelo jovem filho do dono e não por algum dos vice-presidentes. Nos dias que se seguiram, pôs-se a transmitir para Roberto todo o conhecimento que acumulara nos últimos anos, colocando-se à disposição para ajudá-lo sempre que necessário. Já os antigos diretores de São Paulo não tinham a mesma boa vontade. Pelos corredores, comentavam que a nova gestão era do *Kindergarten*, o jardim de infância.

Os primeiros tempos em São Paulo foram aflitivos para Roberto. Em pouco tempo ele se deu conta de que, lá, ficaria responsável, sozinho, por uma operação quase tão complexa quanto a da sede. Tanto que era chamada, jocosamente, de submatriz. Só que havia um agravante: a estratégia adotada por Gerd de priorizar o consumidor brasileiro e não o turista estrangeiro, que tinha dado excelentes resultados nos últimos anos, virara um problema, uma vez que a economia brasileira entrara em recessão.

Roberto desembarcava em São Paulo justamente nesse momento complicado para o mercado interno, foco da submatriz. O Plano Collor – a radical mudança na economia instituída de maneira destrambelhada, em 16 março de 1990, por Fernando Collor de Mello, um dia após sua posse no Palácio do Planalto – colocara o país de pernas para o ar. No alvorecer daquele dia, empresas e cidadãos despertaram sem os recursos que guardavam em suas contas bancárias. Haviam sido confiscados pelo governo na tentativa de debelar a inflação.

Para a H.Stern, os primeiros dias do plano foram de terror. Como trabalhavam com ouro, a cotação disparou e o comando da empresa não sabia com que parâmetros de preços trabalhar. A situação complicara-se de tal maneira que, no primeiro fim de semana após a entrada do plano em vigor, os executivos reuniram-se na casa de Roberto e chegaram a cogitar encerrar a operação brasileira, voltando-se apenas para o mercado internacional. Não foram adiante com a ideia. Mas a área de São Paulo, justamente a mais forte no mercado interno, ressentiu-se bastante e fechou 1990 no vermelho. Roberto assumiria, portanto, não só uma operação gigantesca, mas uma operação gigantesca com problemas.

Seu primeiro desafio, no entanto, era prosaico. Precisava fazer com que os velhos executivos – homens de confiança do seu pai – o respeitassem. Para isso, contou com a valiosa ajuda da secretária executiva de seu antecessor, que continuou no posto após a saída de Gerd. Terue Ike, uma nissei mignon de temperamento ibérico, tratou de ajudá-lo na tarefa. Nos tempos de Gerd, ela se transformara em sua fiel escudeira, embora tivessem discussões terríveis, a ponto de ela bater a porta na cara do chefe quando ele gritava com ela. E batia com tamanha força que chegava a derrubar os quadros da parede.

Ao ver que os velhos tubarões estavam dispostos a massacrar o novo e jovem chefe, Terue pediu uma conversa com Roberto. Perguntou-lhe como ele gostaria que ela trabalhasse. Ele disse que da mesma forma que ela trabalhava com Gerd. Terue então respondeu que, a partir daquele momento, várias coisas mudariam. E enumerou-as. Primeiro, ninguém, nem os mais velhos, poderiam se referir a Roberto como Bob, seu apelido de infância. A partir daquele momento, ele seria Roberto ou senhor Roberto, para os menos próximos. Segundo: ninguém poderia entrar na sala dele sem ser anunciado por ela, como vinham fazendo (entravam sem sequer bater à porta). Teriam que agendar entrevistas e enviar por escrito as suas pautas para a reunião de diretoria, com uma semana de antecedência. Finalmente, um pedido do chefe era uma ordem. "Ele pediu 'por favor'?", ela perguntava aos executivos que deixavam a sala de Roberto. "Quero esclarecer que ele está sendo gentil, mas o 'por favor' é uma ordem", ela avisava.

Ao se envolver com toda a operação paulistana, Roberto começou a perceber que alguns dos procedimentos adotados ali eram mais inteligentes que os do Rio. Os estoques eram mais racionais, a burocracia, menor, a comunicação entre os setores era mais clara. No Rio, o organograma era confuso porque havia situações de duplo comando. O diretor de cada área, por exemplo, respondia a mais de um vice-presidente, o que atrasava muito a tomada de decisões.

Mas a filial de São Paulo também tinha problemas. Os diretores eram fracos e a maioria não se dava com o antigo chefe, que, por isso mesmo, concentrava as decisões nas suas mãos. Na verdade, a organização paulistana não era saudável, a tal ponto de os funcionários chamarem o departamento de Recursos Humanos de RH Negativo.

Ao chegar, Roberto teve que lidar, de cara, com uma crise na oficina de joias. À época, os ourives ganhavam um valor variável sobre a cota de produção. O problema é que, com o país afundado em uma tremenda recessão, a produção era mínima, e o ganho deles, consequentemente, quase nenhum.

Antes da sua chegada, os ourives já vinham criando confusão nas oficinas para forçarem a demissão e serem indenizados. Havia uma insubordinação em relação ao comando da empresa. Como não existia diálogo entre os ourives e os gestores, a crise só se agravava. A tensão chegara a tal ponto que o diretor de produção alertou Roberto de que seria muito perigoso ele descer até a oficina para conversar com os funcionários. Roberto ignorou. Como trabalhara em uma fábrica de móveis onde costumava beber com o pessoal do chão de fábrica, todas as sextas-feiras, ao final do expediente, sentiu-se confortável para falar com os ourives.

Teve uma conversa firme, mas justa. Sentou-se com os líderes do movimento e ouviu suas reivindicações. Prometeu cumprir 80% do que pediam (acabou cumprindo quase 100%). Fechado o acordo, saiu com eles para celebrar no Bar Luiz, no Centro de São Paulo, onde foi obrigado a beber vários tragos. Despediu-se satisfeito e, surpreendentemente, sóbrio.

Ao contornar a crise na área de produção, Roberto se deu conta de que, embora a administração paulistana fosse mais racional, faltava uma boa dose de humanidade. O oposto do que acontecia no Rio, que tinha uma cultura de comprometimento com os funcionários, mas, por outro lado, uma gestão menos eficiente. E concluiu que o ideal seria juntar os dois mundos. Aplicando o que havia de bom e eliminando as práticas que considerava nocivas tanto na sede quanto em São Paulo, criou um novo modelo de gestão. Em um ano, as vendas aumentaram, os gastos caíram e a operação voltou a dar lucro.

A submatriz estava funcionando tão bem que, no final de 1992, o pai o chamou de volta ao Rio. Depois do batismo de fogo em São Paulo, Hans sentiu que o filho estava preparado para dar passos maiores. E, dessa vez, Roberto também se sentia seguro para encarar qualquer desafio. Embora não expressasse claramente, Hans desejava que Roberto assumisse toda a operação. E foi dando carta branca ao filho para agir.

Roberto começou, aos poucos, a replicar em toda a companhia o que havia feito em São Paulo. E foi além. Começava uma nova era na H.Stern.

capítulo XXI

Uma revolução

Roberto ganhou prestígio na empresa ao reformular a operação paulistana e tornar a filial lucrativa em meio a uma crise econômica. Por isso, intuiu que, ao chamá-lo de volta à sede, o pai queria que ele cumprisse o destino que sempre lhe fora reservado: o de ser o seu sucessor. Ao completar 14 anos, Roberto fora sutilmente estimulado por Hans a acompanhar todas as informações sobre a operação da empresa e a ler todos os papeluchos do "Não Fale, Escreva", com a troca de correspondência entre os principais executivos. Ao final da leitura, o pai pedia que ele opinasse sobre o que fora discutido. Era uma maneira informal de treiná-lo para tocar a H.Stern futuramente. Dos quatro filhos, Roberto sempre fora o que mais se interessara pelo negócio.

Agora, instalado no andar da presidência, sentia-se pronto para agir. Embora continuasse como vice-presidente, assumiu o comando de fato da companhia, cuja presidência era ocupada por Hans. Passou a testar até onde o pai permitiria que ele fosse. E, como Hans não impunha limites, avançava um pouco a cada dia. Suas primeiras iniciativas foram modernizar alguns processos, para dar maior agilidade à joalheria. Roberto sabia, porém, que para a H.Stern não perder espaço no mercado, ele precisava fazer muito mais. A mudança, na verdade, teria que ser avassaladora. Hans tinha a mesma percepção, embora não falasse sobre o assunto. A companhia estava prestes a fazer cinquenta anos e o Brasil, após o Plano Collor, era outro. Em apenas três anos, o país mudara mais rápido que nas últimas décadas.

Com a abertura econômica e a chegada ao mercado de produtos importados e de novos grupos estrangeiros, os empresários locais tinham que achar novos meios para sobreviver à forte concorrência. O fim da reserva de mercado na área de informática também provocara profundos avanços na maneira de se gerir as companhias. O Brasil não era mais uma ilha. Estava integrado ao mercado mundial. Uma nova palavra surgira nos dicionários: globalização. E quem quisesse sobreviver teria que correr para se adequar a essa realidade.

Havia alguns impedimentos para que Roberto colocasse a H.Stern nessa era global. Uma oposição indireta e sutil dos vice-presidentes e de alguns diretores às mudanças. Os quatro vice-presidentes, pessoas de confiança do pai, que trabalhavam com ele desde os primórdios da empresa, já estavam chegando à casa dos 70 anos e nunca tinham visto um computador na vida. A maioria entrara na joalheria quando a empresa era muito pequena e não tinha formação acadêmica. O que era admirável. Junto com Hans Stern, aquelas pessoas – Anna Fridman, Rudi Herz, Stefan Barczinski, além de Gerd Tykocinski, o único com formação superior e que trabalhara em grandes companhias antes de entrar na H.Stern – haviam construído um império. Tinham transformado a H.Stern na primeira multinacional brasileira do varejo, com 170 lojas em quinze países – na Europa, Estados Unidos, Israel e América Latina –, apenas baseados na intuição de como fazer negócios.

Os tempos, porém, eram outros. E Hans encorajava o filho a fazer as alterações, ainda que da sua maneira – não necessariamente estimulando, mas simplesmente dando espaço para Roberto agir. E ele agiu. Embora compungido, aposentou, aos poucos, todos os vice-presidentes e montou a sua equipe, valendo-se da turma mais jovem que já trabalhava na empresa. Marcel Sapir, então com 28 anos, era um deles. Formado em economia, trabalhava no departamento financeiro. Junto com Roberto, era um dos poucos executivos que sabiam calcular juros compostos na empresa. Para cuidar da operação de São Paulo, Roberto começou a treinar Richard, filho de Stefan Barczinski. Para fazer a reengenharia da produção, chamou seu irmão, Ricardo Stern, jovem economista especialista em gemologia que, na época, cuidava da área de compras de diamantes. Também se juntou à equipe o engenheiro Victor Natenzon. O mais experiente do grupo era Julio Spector, um engenheiro entusiasmado e criativo da área de informática, que já trabalhava havia anos na empresa e foi escalado para cuidar do novo programa de treinamento em vendas.

Com seu time de executivos praticamente montado, Roberto pôs-se a sacudir a empresa. Depois de viver intensamente as confusões entre São Paulo e a sede, ficou claro para ele que era fundamental ter um processo único para toda a companhia nas suas mais diversas áreas, evitando, assim, a duplicação de setores e de custos. Todas as operações da empresa, nos mercados interno e internacional, passariam a responder a um único comando. As filiais e, principalmente, a submatriz paulistana não poderiam continuar fazendo o que lhes desse na telha. Teriam que adotar as mesmas práticas, que passaram a ser, na verdade, a conjunção do que havia de exemplar em cada uma delas, além dos conhecimentos extras que Roberto vinha adquirindo em seus estudos sobre gestão. Houve uma formalização dos processos, que foram organizados em uma espécie de manual de administração interna.

Um ano após a volta de Roberto para o Rio, a H.Stern passou a ter, por exemplo, um marketing único, que incluía um catálogo unificado com as peças a serem vendidas em todas as lojas no Brasil e no exterior. Acabava o conceito da cultura local, aquele de que o carioca pensava diferente do paulista, que pensava diferente do gaúcho, que pensava diferente do pernambucano, que pensava diferente do nova-iorquino, que pensava diferente do alemão, de maneira que fosse preciso fornecer um produto de acordo com o gosto de cada filial. Estudos encomendados por Roberto revelaram que aquilo era uma balela. O belo era percebido como tal no mundo todo. Assim como um produto errado significava um encalhe mundial. Não adiantava querer transferir a peça de um lugar para o outro para tentar desová-la, como se acreditava até então (o que nunca funcionava). Dali em diante, todas as lojas venderiam a mesma mercadoria.

Para viabilizar a estratégia, Roberto também unificou as compras da empresa, o que aumentou o poder de fogo da joalheria nas negociações com os fornecedores. Como consequência, garantiu-se também um maior controle do estoque. Alguns milhões de dólares estavam imobilizados em mercadoria, o que tinha a ver com o conceito histórico dos gestores de que quanto maior o ativo, maior a empresa. Décadas de inflação alta tinham levado o comando da H.Stern a apostar nessa proposta, dado que a moeda local – cruzeiro, cruzado, cruzeiro novamente – se desvalorizava diariamente, ao passo que o ouro e as gemas preciosas mantinham o valor.

Na visão de Roberto, no entanto, encher a H.Stern de produtos não tinha o menor sentido a não ser que as peças fossem vendáveis. Portanto, em mais uma quebra de paradigmas na H.Stern, Roberto decidiu redimensionar o estoque, liberando o ativo parado e transformando-o em capital de giro para outros investimentos.

Em fevereiro de 1994, o Plano Real, que estabelecia a paridade da moeda local com o dólar, foi decretado e a economia brasileira começou a aprumar. Com o ouro e o dólar baratos, o mercado doméstico de joias foi um dos que mais se beneficiaram das novas medidas econômicas. As revistas de estilo estampavam matérias mostrando que uma joia era mais barata que uma calça jeans. Ao se dar conta disso, os consumidores foram às compras. De uma hora para a outra, a H.Stern teve que atender a um público ávido por possuir as suas peças. Criou-se um problema: o estoque tinha sido dimensionado para atender a demanda presente. Mas não seria suficiente para atender a demanda futura caso houvesse um enorme aumento das vendas.

A H.Stern teria que dar um cavalo de pau e investir pesadamente em compra de insumos – ouro e pedras – para aumentar rapidamente a produção. Roberto estava cada vez mais seguro de que a economia entraria em um ciclo de crescimento extraordinário e queria preparar imediatamente a empresa para esta boa fase.

Em uma tarde no começo daquele ano, durante uma conversa, em sua sala, com Marcel Sapir, que passara a responder pelas diretorias financeira e administrativa, Roberto expôs suas expectativas em relação à economia. O outro concordava com a visão do chefe. Ambos estavam convencidos de que haveria um estouro nas vendas e concluíram que, para não perder o bonde, precisariam de muitos milhões de reais para comprar ouro e diamantes e outras pedras para atender o aumento da produção.

A indústria joalheira tem uma característica distinta da maioria dos outros setores. O tempo entre a decisão do que vai ser produzido, a compra da matéria-prima, a produção propriamente dita e a chegada da mercadoria às lojas é de, pelo menos, um ano. Portanto, eles precisavam correr com as compras. Era necessário que um grande volume de dinheiro entrasse imediatamente no caixa da empresa para terem mercadoria para oferecer em meados de 1995.

"Marcel, você segura as pontas?", Roberto perguntou, referindo-se à necessidade de a H.Stern buscar crédito bancário para fazer frente a essa estratégia. O outro, empolgado, garantiu que sim. Naquele dia, eles decidiram que tomariam o máximo de financiamento que conseguissem. Foi uma das poucas vezes na sua história que a H.Stern fez um crescimento alavancado por crédito bancário e não com capital próprio.

Era uma decisão ousada. Mesmo assim, Hans não interferiu, embora olhasse para o entusiasmo do filho com certa cautela. Já vivera muitos altos e baixos na economia e tinha horror a se endividar. Havia um fator para embasar o risco assumido por eles. Desde 1993, Roberto vinha trabalhando na modernização do design das joias, o que já era percebido pelos consumidores. Com a mudança, a H.Stern não só encantou seus clientes tradicionais, como atraiu a atenção de um novo público, também surpreendido pelo novo estilo das joias da empresa.

Roberto só começara a se interessar pelo desenho das joias ao se mudar para São Paulo e ser obrigado a se ocupar de todas as áreas da submatriz, inclusive as de criação e fabricação. Seu olhar, até então treinado apenas para as finanças, foi obrigado a voltar-se também para o estilo. Foi quando se deu conta de que, embora os produtos vendidos na sede e na operação paulistana fossem bastante distintos, nenhum deles o agradava muito. Apesar da indiscutível qualidade, não tinham a elegância, a ousadia e a contemporaneidade que imaginava que deveriam ter as joias da H.Stern. Passou a frequentar feiras internacionais, a consultar revistas e a procurar entender o que o encantava. Queria criar um novo conceito estético para a empresa.

Durante o gelado inverno nova-iorquino de 1993, Roberto entrara em uma loja da Baby Gap com o único intuito de se aquecer. Sentou-se em um banquinho e ficou olhando para os armários e prateleiras. Começou a se impressionar com o que via. Tudo coordenado, arrumado em coleções, a mesma padronagem replicada em vários produtos: saias, calças, vestidos, blusas de manga curta e comprida. Era tudo tão fácil e simples de entender. Não havia uma mistura de desenho. Apenas um, replicado em todas as roupas. De repente tudo clareou na sua cabeça. Era aquilo que ele buscava: o conceito de coleção, tão óbvio na moda, mas inexistente, até então, na joalheria.

O que havia na H.Stern e nas demais joalherias do mundo todo eram diversos tipos de conjuntos: anéis combinando com brincos e pulseiras. Aquele excesso de combinações de vários estilos poluía as vitrines. Mal comparando, eram como balas sortidas, sem a sutileza do mesmo desenho se repetindo em vários tamanhos e materiais.

Por que, então, não trazer a moda para as joias?, pensou. Por que não criar também o conceito de coleção na H.Stern? Ou seja, um mesmo anel reproduzido em ouro e cristal, ou somente em ouro ou em pavê de diamantes. Todos expostos lado a lado. Dessa forma, acreditava, o consumidor imediatamente perceberia a beleza do desenho. Seria muito mais fácil e agradável do que ver três anéis, totalmente distintos, em uma mesma vitrine, o que não só confundia como embaralhava a percepção do cliente sobre o que ele queria adquirir.

Roberto imaginou que, assim como estava acontecendo com ele naquele momento, no aconchego da Baby Gap, o seu cliente, ao se defrontar com as variações da mesma peça, também educaria o olhar. Para ele, ficava cada vez mais cristalino que a coleção demonstraria que a empresa estava acreditando no seu produto. Concluiu que mostrar uma excessiva variedade de desenhos, no fim das contas, não passava de insegurança das joalherias, que, por medo de errar, ofereciam joias de todos os estilos. A insegurança, pensou, era um pecado coletivo. Mas decidiu que, pelo menos na sua empresa, essa barreira psicológica seria superada.

O alemão Gunnar Lathe era o designer-chefe da H.Stern quando Roberto Stern voltou para a sede, após a experiência paulistana. Elegante e posudo, Lathe chamava atenção pela postura, pela farta cabeleira branca e também pelo ego gigante. Tinha um orçamento portentoso para fazer as joias e, na H.Stern, sua autoridade era inquestionável. Era o único funcionário da empresa a viajar em classe executiva – até Hans ia de econômica – e a ficar nos melhores hotéis. Sua tacada de mestre fora o relógio Safira, lançado em 1986, feito em parceria com uma fábrica suíça. O relógio azul foi um sucesso estrondoso. As vendas explodiram. Foi o primeiro produto global da empresa, sendo vendido em todas as lojas da H.Stern pelo mundo. Com isso, Lathe ganhou fama de genial.

E ele realmente era. Fazia o que se chamava de alta joalheria. De sua prancheta saíam colares, brincos, pulseiras e anéis fabulosos, feitos com ônix, diamantes, ouro e madrepérolas formando desenhos geométricos; colares de esmeraldas e diamantes com enormes pendentes em estilo art déco. Grossas pulseiras de ouro com ametistas. Peças esplêndidas, dignas de rainhas e de divas de Hollywood.

Mas também pesadas, chamativas, caríssimas e, por isso, pouco vendáveis. Essas joias, de beleza ímpar, embora dessem glamour à joalheria, tinham um erro de concepção. Por serem pouco acessíveis, deveriam se produzidas uma a uma, esporadicamente, e não ao mesmo tempo, como ocorria. O resultado é que a maioria delas ficava encalhada no estoque anos a fio até serem desmontadas e transformadas em novas joias.

Roberto achava que este processo precisava mudar. Lathe não gostou da interferência e se desligou da empresa. Com sua saída, Roberto, que há tempos vinha desenvolvendo seu gosto pela arte e aprimorando seu senso estético, decidiu acumular também a função de diretor de criação. Todos os desenhos ficariam sob sua responsabilidade. Deu-se, então, a grande revolução no design da H.Stern.

Para ajudá-lo no trabalho, Roberto convidou uma sofisticada consultora de moda, que ele conhecera em uma palestra. Era Costanza Pascolato. Ao conversarem após a conferência dela, Costanza explicou que adorava joias e que achava que faltava uma visão de moda nas joalherias. Com suas boas ideias, ela passou a fazer parte do time da empresa. Junto com Roberto, daria uma impulsionada no estilo da H.Stern.

A primeira lição que Roberto tirou do contato com Costanza foi trabalhar a parte não visível da joia, o lado avesso. Ela lhe disse: "Roberto, os homens quando compram um paletó passam a mão pelo lado de fora da roupa. As mulheres vão direto olhar o forro." Ele entendeu o recado. Seguindo esta orientação, até os fechos das joias ganharam um brilhantezinho: um cuidado com o "forro", um simples detalhe que faria toda a diferença. A partir daí a H.Stern começou a ficar cada vez mais feminina.

A coleção idealizada em 1994, já com Roberto no comando da área de criação, chegou às lojas brasileiras em meados de 1995 para comemorar os cinquenta anos da empresa e ganhou o nome de mulheres: Carmem, Greta, Lara, Valentina, Júlia, Liz, Sofia, entre outros. O catálogo era totalmente feminino e inovador. Um livro de capa roxa, com letras douradas, e um texto saboroso para cada joia ligando-o ao nome da mulher com que as peças eram batizadas. Essas mulheres – fictícias na sua maioria – tinham personalidade forte e, ao mesmo tempo, eram sensíveis e vaidosas. A joalheria queria mostrar que a nova coleção tinha sido idealizada para esta mulher moderna, que comprava as joias com o seu próprio dinheiro e que tinha poder, bom gosto e sensibilidade.

Tudo era novidade. As vitrines mostravam colares de couro com pingente em ouro branco fosco e brilhante; brincos com elementos

1

2

3

1 Costanza Pascolato, em 1997.
2 Pulseira Pedras Roladas.
3 Anel Lara, coleção Mundial, ganhador do prêmio 100 Designers em 2000.

de cristal cabochon removível; anéis em ouro amarelo, vermelho e branco, com pavês de diamantes amarelo, rosé e branco; brincos em dupla face em ouro amarelo e branco com centro removível de pavê de brilhantes; colar tricolor em ouro amarelo, branco e vermelho e mais três cores de diamantes. Joias sofisticadíssimas para noites de gala; outras, práticas, para um almoço de negócios. Todas podendo ser usadas separadamente, desvinculadas da ideia de conjunto. Era algo surpreendente, que jamais fora visto.

O momento não poderia ser mais apropriado para a chegada da coleção às lojas. Naquele ano, a economia brasileira estava pujante, havia uma euforia com o fim da inflação e com o aumento do poder de compra da população. Com as novas joias, as vendas da H.Stern explodiram e os executivos estavam eufóricos. Haviam feito a aposta certa de que o consumo iria disparar e se prepararam corretamente para aquela nova fase. A H.Stern tinha o estoque e os produtos certos para oferecer aos consumidores. Com o estouro das vendas, a empresa cresceu em uma velocidade vertiginosa. Os empréstimos junto aos bancos, para grande alegria de Hans, logo foram saldados. A H.Stern tinha caixa suficiente para se alavancar sozinha dali em diante e continuar se expandindo.

capítulo XXII

Bota abaixo

Em uma tarde de 1994, Roberto entregou ao irmão, Ricardo, novo diretor de produção da joalheria, um artigo sobre o sistema Just In Time criado pelos japoneses, aplicado inicialmente na indústria automobilística. Uma das principais características do sistema era a simplificação dos controles para agilizar a produção. Ricardo leu o artigo, interessou-se e começou a pesquisar tudo sobre o assunto. Viu que aquele modelo fazia todo o sentido para a joalheria. Era o que faltava para colocar a H.Stern definitivamente em uma nova era. Roberto estava revolucionando a companhia e ele queria participar do processo. A primeira geração, Ricardo pensava, trouxera a H.Stern do nada até ali; agora cabia a eles levar a empresa para o futuro.

Hans, mesmo muitas vezes não acreditando que as mudanças pudessem dar certo, deixava Roberto tomar as decisões que achasse melhor. Ele dizia: "Faça. Eu acho que não vai dar certo, mas faça." E, várias vezes, Roberto fizera coisas que o pai detestara. Mas o filho garantia: "Acredite. Isso vai dar 100% certo." Hans, ao contrário de muitos dos executivos da velha guarda, jamais opunha resistência às ideias dos mais novos. Eram os seus colaboradores mais próximos, e não ele, os que mais dificuldades criavam para os jovens administradores.

À medida que as mudanças avançavam, surgia um inevitável confronto entre os novos e os antigos gestores. Ricardo era quem mais sofria. A área de produção era dividida em vários departamentos, com seus respectivos chefes, que estavam acostumados a uma forma de comando que ainda não tinha sido desmontada. A oposição às mudanças na sua área era mais sentida porque, ao contrário de Roberto, Ricardo não tinha o apoio declarado de Hans. O pai aceitava todas as ousadias do primogênito, mesmo torcendo o nariz. Já as ideias de Ricardo, ele ignorava, como fizera com Roberto quando este entrara na empresa. Era a sua forma de demonstrar que não favoreceria os filhos sob nenhuma hipótese.

Desde a adolescência, Ricardo mostrara interesse em trabalhar na joalheria, mas por razões que extrapolavam os negócios: seu desejo era ficar mais próximo do pai. Hans tinha uma vida intensamente ocupada pelos negócios. Passava a maior parte do tempo viajando pelo Brasil e pelo mundo cuidando da empresa e buscando novas oportunidades. Havia ainda os seus outros inúmeros interesses: os livros, a música clássica, a coleção de selos, que ele nunca abandonara, os passeios de barco. Ao final, sobrava muito pouco tempo para os quatro meninos. Ricardo imaginava que, se fosse trabalhar na empresa, teria mais assuntos em comum com o pai e passaria mais tempo ao seu lado.

Depois de grande insistência – e de se submeter a um duro processo de seleção –, Ricardo entrou na H.Stern, mas seu objetivo de proximidade com Hans não foi alcançado. Ao contrário. O pai não escondia que não o queria ali. Achava que bastava um filho, Roberto, na joalheria, ungido por ele para sucedê-lo. Hans sempre dissera que não desejava transformar a H.Stern em uma empresa familiar, com um monte de filhos zanzando lá dentro. Por isso, não queria mais nenhum deles ocupando cargos executivos. Na H.Stern, Hans mal se dirigia a Ricardo. Não queria que pensassem que estava beneficiando seu rebento. E estabeleceu que Roberto seria o chefe hierárquico do irmão, com quem ele deveria tratar diretamente.

Ricardo começou a trabalhar na área de classificação de pedras após fazer um curso de gemologia na Alemanha. Era o primeiro degrau na área de produção: selecionar as pedras por cor e pureza para que a produção pudesse ter um parâmetro de valor para a joia. Com o tempo, pediu para mudar de função e Roberto o designou para cuidar de uma loja que estavam reformando na ilha de St. Thomas, no Caribe. Lá, Ricardo aplicou várias técnicas que vinha estudando e a loja deu bons resultados.

Voltou ao Brasil para trabalhar na área de vendas, pela qual se interessava. Achava que o contato direto com o cliente era fundamental para entender o que mais agradava ou desagradava em um produto. Eram detalhes que faziam toda a diferença, como um fecho difícil de manusear, um cordão curto demais ou um anel desconfortável. Tudo isso se descobria ao perceber a reação do consumidor diante da joia. As vendas eram o termômetro da aceitação de um produto.

Após passar um tempo nas lojas, Ricardo voltou para a área de gemas e, quando a chefe de compras de pedras, Elizabeth Ney (que passara todo o seu conhecimento para ele), se aposentou, Ricardo assumiu o lugar dela. Dali foi promovido pelo irmão a diretor de produção. E contou com o apoio de Roberto para remodelar todo o processo industrial da companhia.

O artigo sobre Just In Time que o irmão lhe entregara mostrava como se dera a virada na Toyota, que aumentara a sua produtividade substancialmente ao criar células de produção. Vários setores intermediários que atrasavam o processo foram eliminados e os que permaneceram foram interligados, comunicando-se entre si, o que deu tremenda agilidade à companhia. E foi isso que Ricardo se pôs a fazer na H.Stern.

Para Roberto, foi uma grata surpresa quando o irmão lhe apresentou o seu plano. Ele não imaginara que, ao ler o artigo, Ricardo desenvolveria um projeto tão ambicioso para a companhia. Estava ali, bem explicado, tudo o que precisariam fazer para acelerar a produção. Era o que Roberto necessitava para viabilizar seu plano de ter a primeira coleção chegando ao mesmo tempo às lojas em 1995.

O sistema desenvolvido por Ricardo acabava com a maioria dos inúmeros controles que existiam em cada setor. Era uma área tão burocratizada que a fabricação de uma joia podia levar mais de um ano. O sistema funcionara na época em que os controles eram manuais, com necessidade de muita gente para acompanhar a joia do momento que começava a ser produzida até sua chegada às lojas. Agora, com o início da informatização, aquela burocracia não fazia o menor sentido.

A produção era um setor paquidérmico. Cada etapa da fabricação – que envolvia ourives, cravadores e polidores – respondia a um comando administrativo. Tudo era compartimentalizado. Antes de seguir para os cravadores, a peça que vinha dos ourives tinha que passar por um controle administrativo, que examinava sua qualidade e a enviava aos cravadores. Depois, era encaminhada a outro controle, que, por sua vez, a encaminhava para mais um controle administrativo, que a mandava para os polidores, que a devolviam para outro controle. Era uma cadeia interminável. Pior. Se, ao final de toda essa operação, a peça não fosse aprovada, voltava tudo à estaca zero.

Ricardo simplificou tudo. Pôs fim a todas as etapas intermediárias. Juntou os ourives, cravadores e polidores em uma única célula e eles passaram a responder a apenas dois comandos: um na entrada das peças e outro na saída. Para isso, as paredes foram derrubadas, departamentos foram extintos e a comunicação entre as áreas de produção passou a ser instantânea.

O problema, porém, foi que, ao simplificar o processo, muita gente ficou pelo caminho. Com a extinção de vários setores e departamentos, diretores, gerentes e técnicos foram demitidos ou aposentados. Ao serem comunicados das demissões, muitos choravam, outros protestavam. Ricardo virou motivo de ressentimento para muitos, uma vez que a transição não podia ser feita em etapas, embora, ao fazer as demissões, ele tivesse o cuidado de procurar saber se a pessoa era a única empregada na família, se tinha filhos, problemas de saúde ou outro agravante. Era duro, mas ele tinha plena consciência de que não seria possível a convivência dos dois sistemas até que um fosse totalmente implantado. Era preciso mudar de uma vez.

O novo modelo exigia que se destruísse tudo, inclusive as paredes, e se recomeçasse em outros moldes.

Foi um grande choque. A H.Stern nunca tinha sido vista pelos funcionários como uma empresa que demitia em massa. Era doloroso desmontar abruptamente uma cultura de cinquenta anos, dispensando pessoas que tinham ajudado a fazer a história da companhia. Mas, surpreendentemente, Ricardo conseguiu apoio dos funcionários que ficaram. Passado o susto inicial, houve um grande entusiasmo com a mudança. As pessoas entendiam que ela era necessária para agilizar a colossal área de produção.

Dono de um temperamento afável, Ricardo conduziu o processo da maneira menos traumática possível. Embora ainda muito jovem, entendeu o impacto que aquilo teria sobre os colaboradores. Com muita serenidade, conversava longamente com os funcionários explicando o porquê das mudanças. Sua forma respeitosa de agir contribuiu para que o novo sistema fosse rapidamente assimilado. Ele passou, por exemplo, a levar os colaboradores para conhecer o sistema Just In Time que fora aplicado em outras empresas, como a Xerox e a White Martins. Para isso, alugava uma van e levava o time com ele. As pessoas iam percebendo, *in loco*, como as mudanças agilizavam os processos das empresas.

Embora sua equipe estivesse cada vez mais entusiasmada com as mudanças, Ricardo penava com a pressão de alguns vice-presidentes que simplesmente se recusavam a acreditar que o processo funcionaria bem na H.Stern. Uma tarde, após voltar de uma das visitas a outras empresas para se familiarizar com o processo, ouviu uma bronca de um deles. "Você está fazendo tudo errado. Essa coisa de célula de produção funciona para indústria automobilística, para a White Martins. Jamais dará certo na H.Stern. Você vai pôr esta empresa a perder." Ricardo não se deixou intimidar e seguiu em frente com seu projeto.

A economia da empresa com a eliminação de setores e as demissões foi de milhões. No entanto, mais importante foi o ganho de produtividade. O tempo entre conceituar, desenhar, fazer o modelo, comprar as matérias-primas, fabricar o produto e fazê-lo chegar à loja caiu de três para um ano. Só na fabricação da joia, a empresa levava em torno de um ano e meio. Sem sacrificar a qualidade, este tempo encolheu para apenas três semanas: a joia, que antes dava a volta em quase todos os andares da empresa até chegar às lojas – havia, inclusive, um departamento para etiquetagem –, passou a ser feita em uma única célula, no mesmo andar, já saindo dali com a etiqueta de preço.

Ricardo revolucionou até mesmo o setor que era a menina dos olhos de Hans: o de pedras brasileiras. Ele determinou que não mais se comprassem pedras apenas porque eram raras ou de excepcional beleza. Havia na H.Stern a regra de que, se fosse bonita, a pedra deveria ser comprada, independentemente de ter ou não utilização prevista. Este era um dos motivos para o inchaço do estoque.

Dali em diante, as compras seriam feitas de acordo com o que fosse solicitado pela equipe de criação, chefiada por Roberto. Ou seja, o desenho ganhava o protagonismo, e não mais a pedra. Ela seria comprada para atender a exigência do desenho, não o contrário. Uma total revolução no conceito de fazer joia na empresa. Justamente o oposto do que Hans preconizara ao criar as primeiras joias da H.Stern, quando imaginava o desenho apenas como uma simples moldura para a pedra.

Com as mudanças instituídas por Ricardo, os setores de criação e produção foram interligados. Desta forma, tornou-se possível planejar rapidamente o que precisaria ser comprado para a fabricação das coleções, conforme os desenhos iam sendo liberados. Também se passou a planejar de antemão quantas joias de cada modelo seriam produzidas. Os compradores agora saíam em campo sabendo exatamente não só que pedras adquirir para atender aos desenhos, mas também a quantidade necessária para a confecção das peças encomendadas.

Hans acompanhava tudo sem interferir. Com a chegada dos rapazes, ele passara a se dedicar quase que exclusivamente às finanças da empresa. Já estava se acostumando com a situação de Ricardo na H.Stern, apesar de continuar sem lhe dar atenção, quando foi surpreendido com a presença cada vez mais constante de Ronaldo, o segundo dos quatro filhos, na joalheria. O que aqueles garotos loucos queriam?

Ronaldo, engenheiro especializado em tecnologia da informação, com mestrado na universidade Southern California, estava bem empregado na área de pesquisa da IBM e não pensava na H.Stern. Um dia, porém, a pedido de Roberto e de Ricardo, pôs-se a analisar a área de informática da empresa e ficou chocado com o atraso.

Ronaldo se empolgou com as possibilidades que o seu trabalho poderia abrir para a empresa, o que o motivou a deixar a IBM e se mudar para a H.Stern, ajudando os irmãos na empreitada. Uma vez na empresa, fez a implantação dos softwares e montou o banco de dados da joalheria, evitando as contagens manuais das joias. Também propôs que os funcionários questionassem os extensos pedidos de relatório para tudo. Sugeriu que, antes de fazer intermináveis descrições de processos, eles perguntassem qual seria o objetivo daquele pedido. Era a mudança da cultura do obedecer sem questionar. Agora tudo deveria ser questionado antes de ser feito. Com isso, reduziu-se drasticamente o desperdício de tempo e de energia.

Quanto mais resultados Ronaldo via no seu trabalho, mais ideias tinha para inovar a área de informática. Sob sua supervisão, foi feito um redesenho dos sistemas integrados de balanço, emissão de notas fiscais, logística e exportação, que foi estendido às operações no exterior. As mudanças possibilitaram a padronização do sistema. Da sede, tornou-se possível visualizar todas as lojas do Brasil e do mundo, obtendo soluções rápidas para os problemas que surgissem.

Contaminado pela febre da mudança, Ronaldo não parava de chacoalhar o seu setor. Mandou os técnicos fazerem cursos fora do país e trouxe para a empresa novas metodologias, ferramentas e tecnologias. Esforçava-se para "abrir" as cabeças dos técnicos da área. Queria mais participação e não só execução.

Ao ver o entusiasmo dos filhos, Hans jogou a toalha. Não tinha mais como evitar os três rebentos "zanzando" pela companhia, dando-lhe a tal aura familiar que ele tanto queria evitar. E tinha que reconhecer que os rapazes davam duro. Não estavam em busca de emprego fácil. Cada um, na sua área, estava contribuindo para o crescimento da empresa. Ronaldo, que só entrara na joalheria para dar uma mão, acabou se integrando à equipe. O *dream team* de Roberto estava finalmente completo.

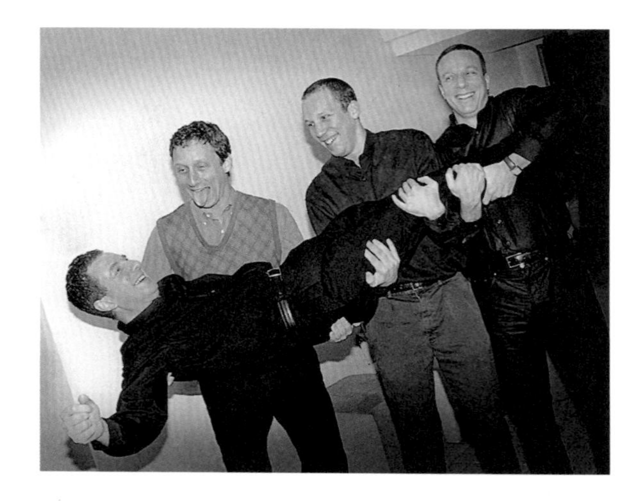

Roberto, no colo dos três irmãos, em 1999.
Da esquerda para a direita: Ronaldo, Rafael e Ricardo.

capítulo XXIII

O Lago dos Cisnes

Em uma viagem a Nova York, logo após assumir a vice-presidência, Roberto detectou problemas na operação: excesso de estoque, de diretores, de pessoal, fazendo com que o negócio operasse com prejuízo. Isso levou os novos executivos a fazerem um estudo profundo de todas as operações internacionais da empresa. A H.Stern, sem dúvida, crescera muito no exterior. Mas, embora fosse uma companhia internacional, cada praça agia como uma empresa local independente. Agora, Roberto queria mostrar para todas as lojas, não só as do Brasil, a necessidade de se adequarem ao novo modelo de empresa. Chegara ao fim a era dos feudos, em que o diretor da operação agia como um presidente local da joalheria e nenhuma parecia ter relação com a matriz.

As unificações de produto, de compras, de marketing e do modelo de gestão foram medidas fundamentais para se conseguir esta unidade. Faltava ainda, porém, uma sacudida na ponta do processo: as vendas. Para isso, Roberto contratou o consultor americano Harry Friedman – um homem baixo, com jeito de pastor luterano, histriônico e, por vezes, colérico – para orientar seus funcionários. A ideia era preparar os supervisores e gerentes de loja para que treinassem suas equipes com base em um conceito único para toda a companhia.

O consultor dizia que eram eles, e não os vendedores, os responsáveis pelos erros e acertos nas vendas. Portanto, quanto mais bem treinados fossem esses líderes, mais condições teriam de preparar seus comandados. O treinamento forçava uma mudança na mentalidade de muitos gestores, principalmente no exterior, que, longe dos olhos da matriz, tinham por hábito beneficiar um ou outro vendedor com quem mais simpatizavam. Era preciso instituir a regra da meritocracia e dar um fim ao ruinoso hábito de favorecimento de uns em detrimento de outros.

Harry Friedman em um dos seminários para a equipe de vendas da H.Stern.

Durante quatro meses, os supervisores e gerentes de loja em todo o mundo receberam intenso treinamento duas vezes por semana. A parada era dura. Quem não se adequasse estava fora. E muitos foram dispensados durante o treinamento por não se encaixarem na ideia de líder de vendas que a empresa queria criar. O consultor mostrava para os executivos quem eram os gestores que teriam condições de multiplicar as vendas e os que não estavam preparados para o posto, muitos colocados no comando pelos antigos vice-presidentes, justamente pelos critérios subjetivos de simpatias pessoais e confiança, não por mérito.

O método de treinamento não era nada gentil. O jeito ríspido de falar deixava muitos funcionários arrasados. O primeiro a cair durante o processo foi o supervisor das lojas de Israel, que discordou frontalmente do novo método.

Pela nova proposta de gerenciamento de lojas, todos os vendedores teriam que ter a mesma chance para que trabalhassem com o mesmo entusiasmo. Criou-se o sistema de rodízio. Cada cliente que entrava na loja seria atendido pelo funcionário da vez. Muitos gerentes tinham por hábito determinar qual funcionário atenderia qual cliente e passavam para os mais chegados as melhores vendas, desestimulando o resto da equipe.

Foram estabelecidas metas de vendas para cada loja. Até então, a cobrança por resultado não fazia parte da cultura da empresa. Mas algo precisava ser feito, já que o mundo se tornara muito mais competitivo. Para o comando da H.Stern, estava óbvio que não se tratava de implantar a agressiva estratégia de competição da Ambev, de Jorge Paulo Lemann, que funcionava bem naquele tipo de organização, mas que não se aplicava à cultura da joalheria. Havia na empresa um forte sentimento de comprometimento e cooperação entre os funcionários. Portanto, a imposição de valores muito distantes daqueles sobre os quais a empresa havia se erigido resultaria em fracasso.

Roberto entendia que, em tempos de competição acirrada, era preciso exigir mais eficiência. O que ele buscava, desde a época de São Paulo, era o equilíbrio entre essas duas culturas. Maior eficácia sem transformar o funcionário em uma máquina de resultados. A lógica tinha que ser competência com sensibilidade.

O treinamento, contudo, levou muitos funcionários ao desespero. Vera Maria Ronald de Carvalho estava na empresa desde 1977 e era supervisora de lojas no Rio. Em uma das sessões, o consultor propôs que todos fizessem um desafio para seus rivais. E estabeleceu que a rival de Vera seria a supervisora das lojas de São Paulo. "Acho que havia algo meio sádico nele", ela diria depois. "Com o tempo, porém, ele não me assustava mais." E passou a enfrentá-lo. "Eu entendia aquilo como um teatro." O desafio, porém, estava feito. Elas disputariam quais lojas venderiam mais: se as do Rio ou de São Paulo. Como pagamento da aposta, as colegas estabeleceram que quem perdesse teria que dançar um trecho do balé *O lago dos cisnes* durante dois minutos. Para a sorte de Vera, a outra perdeu. "Eu sou uma mulher de 1 metro e 70 de altura, imagina eu dançando balé?", ela diria.

Sua oponente, porém, não se apavorou. Perdeu com imensa elegância. Para pagar a aposta honrosamente, tratou de fazer aulas de balé. Alugou uma roupa de bailarina de *O lago dos cisnes* e, no dia marcado, apresentou-se na frente de Hans Stern, dos vice-presidentes, diretores e supervisores e dançou lindamente. Nem todos reagiram da mesma forma. Hans olhava para aquilo tudo em silêncio, com a expressão enigmática de um jogador de pôquer. Ele, que sempre fora de enorme elegância no trato com as pessoas, jamais adotaria aquelas práticas. Mas entendia aonde o consultor queria chegar, e o deixava agir. Friedman, no entanto, vez por outra, virava-se para aquele senhor impassível, mirava-o nos olhos, como se lhe indagasse se estaria passando dos limites. Como Hans permanecia inescrutável, ele continuava com a sua pantomima.

Os que não se adaptaram aos novos tempos tiveram que sair. "Foi sofrido para nós, que conhecíamos aquelas pessoas há anos. Havia um grande temor entre os funcionários. Não era mais a lealdade que determinava tudo, como tinha sido até então. Era a competência, o trabalho, era a pessoa estar disposta a aprender e a mudar as coisas. E isso era assustador também. Mas, se não tivesse sido feita esta ruptura, acredito que a empresa teria ficado no passado", Vera avaliaria depois.

Houve também muitos casos de funcionários que saíram fortalecidos do treinamento. Um deles foi Luiza Trotta, que, de gerente de loja, seria mais tarde alçada a diretora comercial da empresa.

Nessa época, Roberto começou a pensar também em como fazer com que o conceito global de marca fosse percebido pelos consumidores. A H.Stern uniformizara a gestão, o produto e o marketing, mas este ainda era um processo entendido muito mais pelo público interno do que externo. Para que a mudança impactasse também o consumidor, ele achava necessário que as joias da H.Stern tivessem um espaço que espelhasse seu novo desenho. Ele queria que as lojas fossem tão bonitas quanto as joias que vendiam. Os pontos de venda seriam também a imagem da nova H.Stern no mundo. O seu cartão de visita. "*Show the flag*", como o pai lhe ensinara. E decidiu que, para isso, elas precisariam ter uma única e bela arquitetura.

Seu time de executivos vibrou. A H.Stern ganharia uma cara mundial. Seria a primeira vez que isso seria tentado. Primeiro porque a H.Stern era, na época, uma das poucas joalherias internacionalizadas. Se conseguissem de fato essa unidade, não apenas no produto e na gestão, mas também no visual das lojas, não seriam só uma empresa internacional, mas uma companhia global. Com o aumento das vendas, a H.Stern tinha caixa suficiente para iniciar a reforma no mundo todo.

Para o projeto arquitetônico, Roberto contratou o escritório de Jorg Hysek, renomado designer alemão, radicado na Suíça, que ele imaginava que daria a cara idealizada por ele para a H.Stern. Não deu certo. O designer fez exatamente o que ele não queria: uma caricatura do Brasil, a armadilha em que costumam cair os estrangeiros ao interpretarem o país como algo luxuriante e um tanto burlesco, feito as imagens dos cartões-postais.

Hysek projetou para o interior das lojas uma espécie de pirâmide. Ao se deparar com o desenho, Roberto se espantou. E, durante uma reunião, brincou: "Será que ele confundiu os nossos índios com os incas peruanos?" Roberto descartou o projeto arquitetônico do interior da loja, mas manteve o dos móveis, de madeira marrom-clara, em forma de bumerangue, com vidros curvos que pareciam flutuar. Isso não abalou a admiração que Roberto tinha pelo designer. Tempos depois, Hysek desenharia um relógio para a empresa.

A H.Stern queria que o Brasil, sem perder sua identidade, fosse visto de outra maneira no exterior, rompendo com o estereótipo de país exótico e espalhafatoso. A joalheria sonhava em revelar ao mundo um lado elegante e sutil dos brasileiros. Afinal, o país não era só um imenso carnaval.

Roberto pediu à arquiteta paulistana Denise Barreto, que decorara o seu apartamento no Rio, para fazer o projeto. "Como você gostaria que a H.Stern fosse vista ao redor do mundo?", ela perguntou. E Roberto explicou seu conceito. Queria dar à loja uma cara sofisticada, mas, ao mesmo tempo, despojada, característica do brasileiro. O desafio do projeto seria mostrar algo original, mas ao mesmo tempo global.

Interior da H.Stern na Quinta Avenida, a primeira loja dentro de um padrão internacional que seria replicado em todas as outras.

Quando a arquiteta lhe apresentou o projeto, Roberto se entusiasmou. Era tudo o que queria. Um espaço amplo, claro, sofisticado, mas ao mesmo tempo informal, onde as pessoas se sentissem à vontade para entrar e passear. E decidiu testar essa nova imagem junto ao público internacional, em Nova York.

A loja da H.Stern na Quinta Avenida foi a primeira a ser reformada. Com ela, a joalheria brasileira marcaria sua presença ao longo da avenida que melhor traduz a opulência da cidade. A fachada ganhou dois imensos retângulos de vidro entre o térreo e a sobreloja. Todo o interior da loja, muito bem iluminado, podia ser apreciado por quem passasse em frente à loja até mesmo do outro lado da larga avenida. As paredes e colunas foram revestidas com a mesma madeira clara – um rosa achocolatado – dos móveis desenhados por Hysek. Os balcões e totens projetados pelo designer foram distribuídos pelo ambiente de forma que o público pudesse circular entre eles com todas as peças à vista. Era um lugar agradável para se ficar. A exposição das joias também foi estudada de forma que fossem facilmente vistas pelos clientes. Tudo perfeitamente encaixado no conceito de coleção que Roberto imaginara.

Em novembro de 1997, no começo do inverno nova-iorquino, a loja da Quinta Avenida reabriu em grande estilo, com o novo padrão visual e a nova coleção, com nome de mulheres. A nova H.Stern virou notícia na cidade. Revistas de moda e jornais especializados em negócios comentaram a beleza e a ousadia das peças e a nova arquitetura da loja. Naquele momento, a H.Stern se impunha como marca ao apresentar para o mundo um novo conceito de joias, que não existia em nenhuma outra joalheria.

Com seu novo estilo, a H.Stern enfrentaria um problema novo. A nova coleção com nomes femininos fez tanto sucesso que começou a ser copiada. Os advogados da empresa foram acionados muitas vezes para retirar as cópias dos estandes de vendas de outras joalherias nas feiras internacionais. A cópia, embora perniciosa, dava uma pontinha de satisfação ao comando da companhia. Nos anos 1980, os executivos da H.Stern frequentavam as feiras para acompanhar as tendências. Agora, a H.Stern se transformara em uma *trendsetter*, uma lançadora de estilo. As joias da empresa haviam caído no gosto mundial.

capítulo XXIV

Nasce uma joia

O verão de 2001 chegara ao fim e, com isso, a maior parte dos veranistas e turistas havia deixado o badalado balneário de Búzios. Naquele finalzinho de tarde em meados de abril, a sempre borbulhante rua das Pedras, centro nevrálgico do lugar, estava praticamente deserta: não havia carros circulando, nem mulheres passeando com suas longas e bronzeadas pernas de fora, nem homens caminhando indiferentes a tudo, nem casais à procura de vaga nos restaurantes sempre lotados. Havia uma paz misturada a certa melancolia que precede o término de temporada. A sensação de fim de festa, de volta ao real. Era justamente dessa época que Roberto mais gostava, quando a calma voltava ao balneário e se podia ficar por ali sem o barulho de buzinas, de gargalhadas estridentes, de vozes em tons bem acima do tolerável. Sentado, sozinho, à mesa de um café, ele apreciava aquele instante de profunda serenidade. A chuva que caíra um pouco antes lavara as grandes e desalinhadas pedras que dão nome à rua. Elas brilhavam.

Por longos minutos, Roberto apreciou a beleza do calçamento. Era como se pela primeira vez ele tivesse notado todo seu encanto. Aquelas pedras grandes, irregulares, de tons diferentes, eram de uma elegância e, ao mesmo tempo, de um despojamento sem par. Deixando a imaginação vagar, ele começou a substituir o basalto por pedras preciosas. Como na canção infantil, ladrilhava a rua com pedrinhas, não de brilhantes, mas de quartzos, turmalinas, rubelitas. Sem ter com quem compartilhar aquele encantamento, pôs-se a fotografar o calçamento. Não podia perder aquele instante, aquela luz, aquele brilho. Então, de repente, um estalo. Estava tudo cristalino na frente dele. Era aquilo que ele queria. Uma coleção com a cara daquela rua, daquelas pedras. Começava ali, naquele suave entardecer de abril, a ser gestada a coleção Rua das Pedras.

Roberto mal conseguiu dormir aquela noite de tanta excitação. Na segunda-feira, muito cedo, já estava no escritório em Ipanema e logo convocou sua equipe de criação. Queria uma coleção inspirada na rua das Pedras. Mais que isso. Uma coleção inspirada na rua das Pedras naquele exato instante, depois da chuva, com aquela luz única.

Os desenhistas entreolharam-se um tanto espantados quando Roberto lhes mostrou a foto do calçamento registrada em seu celular. Sim. Ele queria um efeito de brilho de chuva nas pedras. Eles já haviam feito de tudo desde que Roberto assumira a diretoria de criação. Mas reproduzir o brilho de um calçamento num final de tarde chuvosa em Búzios era o ápice da ousadia. Mas eles sabiam que nem eles nem o chefe desistiriam do projeto.

Após ouvirem a explanação de Roberto, os designers se puseram a trabalhar. Fizeram centenas de desenhos de pulseiras, brincos, anéis. Algumas semanas depois, mostraram os croquis para o chefe selecionar. O trabalho não foi fácil. Para conseguirem mostrar o efeito das pedras molhadas, passaram tardes no departamento de pedras buscando aquelas que se encaixariam no projeto e fizeram uma composição com várias tonalidades delas. Tinham certeza de que só pelo desenho não conseguiriam mostrar o que estavam imaginando.

Roberto se encantou com o resultado, mas alertou que, para aquela coleção, era preciso usar pedras muito rasas e chatas, pois seriam utilizadas em quantidade maior que o normal. Caso contrário, as joias ficariam pesadas demais. Era um desafio complicado para a equipe. Para se chegar à altura de pedra que Roberto queria, seria necessária uma lapidação muito arrojada. Nesse caso, porém, as pedras corriam o risco de perder a cor. Chegaram à conclusão de que teriam que usar pedras brutas de muita intensidade de cor para não perderem a beleza após serem reduzidas à metade do volume.

A equipe voltou ao trabalho. Precisavam estudar qual a altura mínima viável. Roberto foi para a oficina com os designers e lapidários e começaram a testar vários tipos de pedra. Imaginaram fazer primeiro em cristal. Não deu certo. Testaram outras opções, mas, conforme iam sendo lapidadas, as gemas perdiam o efeito do calçamento molhado que ele queria. Não tinha jeito. Tinham que sair em busca de novas pedras.

Disposto a criar a sonhada coleção, Roberto convocou Christiane Nielsen, chefe do departamento de compras de pedras e mais dois funcionários da H.Stern baseados na Europa para uma espécie de caça ao tesouro. O quarteto partiu para uma viagem à Tailândia, pois Roberto ouvira falar de uma pequena cidade onde haveria uma grande oferta de pedras raras. Quem sabe lá não encontrariam o que procuravam.

Em meados de junho, o grupo chegou a Bangkok. De lá, seguiriam para Chanthaburi, o vilarejo a 250 quilômetros da capital tailandesa onde esperavam encontrar seu tesouro. Entusiasmados, sentiam-se como antigos exploradores correndo o mundo pesquisando fósseis. Tinham pressa de achar as pedras. A coleção precisaria estar nas lojas antes do Natal de 2002. Portanto, tinham pouco mais de um ano para encontrar as pedras, exportá-las para o Brasil (o que demandava um bom tempo), lapidá-las de forma que não perdessem a cor e montar as joias, o que sabiam que daria muito trabalho, pois era um projeto extremamente ousado.

Para ganhar tempo, haviam contratado do Brasil o transporte com um guia para levá-los do hotel até Chanthaburi. Na manhã combinada, quando o transporte chegou, eles se assustaram, pois era muito diferente do que tinham em mente. Um motorista de idade avançada aguardava por eles em uma Kombi ainda mais longeva, toda decorada com penduricalhos coloridos do artesanato local. A Kombi parecia uma alegoria. Diante daquela imagem, se deram conta de que a viagem seria longa. Só não pensavam que seria interminável.

A Kombi seguia a 50 quilômetros por hora e o motorista, que ainda por cima não falava uma palavra de inglês, parecia não ter qualquer pressa. Roberto tentava pedir que acelerasse, mas o homem não o entendia, nem aos outros três passageiros. A certa altura da viagem Roberto, que seguia no banco da frente, começou a se impacientar. Com uma série de gestos, conseguiu fazer o sujeito entender que queria que ele parasse no acostamento.

Assim que estacionou, Roberto desceu do carro e foi até ele. Ali, para o espanto do homem, determinou, também com gestos, que fosse para o lado do carona. Ele resistiu, mas acabou concordando contrariado. Roberto assumiu o volante tentando dar velocidade ao veículo. O máximo que conseguiu foi fazer a Kombi rodar a 80 quilômetros por hora, para pavor do chofer. Levaram mais de cinco horas para chegar ao destino. Um trajeto que normalmente poderia ser feito na metade do tempo.

Chanthaburi foi uma decepção. Na manhã seguinte à sua lentíssima viagem, o grupo de exploradores seguiu para a rua do comércio. Para a surpresa deles, não havia lojas a serem visitadas. Os comerciantes, muito simples, negociavam as pedras em pequenas mesas instaladas no meio da rua. Era uma fileira interminável de mesas, feito uma feira. Tudo de um total amadorismo e informalidade. Nenhum dos vendedores tinha os instrumentos básicos para análise das pedras: não havia balanças, iluminação apropriada, nem calibre de medição do tamanho. Também não falavam inglês, o que dificultava a comunicação. O guia tampouco podia ajudar, pois ele mesmo não sabia uma palavra além do tailandês. Para piorar, o quarteto de exploradores – os homens louros, de olhos claros, e Christiane, de pele muito branca, cabelos negros, alta e longilínea – contrastava completamente com o padrão local, de pessoas pequenas, de pele morena. Rapidamente viraram atração. Estava na cara que eram estrangeiros e, aonde iam, eram cercados por curiosos.

Logo se deram conta de que não conseguiriam nada com as características de que precisavam para a nova coleção. O local não era confiável e eles não tinham como saber a procedência das pedras. A viagem fora uma total perda de tempo. Já estavam de partida quando Christiane bateu os olhos em uma granada belíssima, grande, oval, de uma cor avermelhada absolutamente rara. Contrariando a determinação da nova gestão de só comprarem pedras que fossem ser usadas pelos designers, ela ficou com a granada. Argumentou que era tão linda que precisavam levá-la para Hans Stern. Sabia que ele se encantaria com a pedra.

Voltaram ao Brasil com a missão frustrada. Tinham pelo menos um consolo: a granada. Aguardaram ansiosos por ela. Quando a gema finalmente chegou, Hans Stern estava viajando. No dia seguinte, no entanto, algo surpreendente aconteceu. O gerente de uma das lojas ligou para a produção perguntando se eles teriam uma granada diferente para vender. Uma cliente de longa data queria encomendar um anel, mas queria que fosse confeccionado justamente com "uma granada especial". Foi um espanto. Parecia que a viagem tinha sido feita para ela. A granada foi imediatamente vendida sem que Hans a tivesse visto. Transformou-se no anel sonhado pela compradora, que nunca soube da tamanha aventura que envolvera sua confecção.

O problema deles, no entanto, continuava. O departamento de compras já havia contatado seus fornecedores tradicionais de pedras, mas nenhum tinha o que procuravam. Muitas vezes a cor parecia bater com o desenho, mas, quando começava a lapidação, as pedras mudavam de tom e a pesquisa tinha que ser reiniciada. Embora o prazo estivesse cada vez mais apertado, Roberto dizia: "Não tenho pressa. Quero um efeito maravilhoso. Encontrem as peças certas." A dificuldade no processo é que todas elas precisavam vir do mesmo lote para não haver diferença de tonalidade.

Foi então que, após mais de dois meses de busca, encontraram as que achavam que atenderiam as exigências do desenho. As pedras, ainda em estado bruto, foram encaminhadas para lapidação. Havia grande expectativa da equipe, que comemorou muito quando viu o resultado após uma intensa lapidação para reduzir a altura das pedras ao

1

2

mínimo. Conseguiram o tom exato da luz no calçamento depois da chuva. O efeito foi obtido com um degradê de quartzos fumês e rosas e de rubelitas avermelhadas. Todas pedras brasileiras.

O passo seguinte à lapidação – não apenas para essa coleção, mas para todas as joias da H.Stern – é fazer um protótipo da joia. No caso da coleção Rua das Pedras, o primeiro protótipo foi o de uma pulseira. Isso foi feito colando as gemas em papel contact sobre o mapa do desenho, para estabelecer a exata combinação das cores. Uma nova trabalheira, porque com a utilização de várias pedras, para que a pulseira não pesasse no pulso, era preciso reduzir ao mínimo a quantidade de ouro. Roberto dizia: "As pedras da rua são pesadas, mas passam uma grande leveza. Quero exatamente isso." Depois de vários testes, a coleção foi finalmente aprovada e seguiu para fabricação.

A coleção Rua das Pedras chegou às lojas em novembro de 2002. E se tornou um sucesso mundial após a pulseira, os brincos e o anel serem usados pela atriz Catherine Zeta-Jones em um evento em Hollywood. Quando se deparou com a foto da atriz em várias revistas de moda, a equipe comemorou. A coleção, que lhes roubara noites de sono, foi uma das mais vendidas pela joalheria. A atriz descobrira a joalheria em 2001, quando escolheu um colar com água-marinha de 50 quilates da coleção pessoal de Hans Stern para se apresentar na premiação do Oscar. A partir daí, a joalheria passou a ser procurada cada vez mais pelas estrelas em busca de estilos de joias diferentes e inovadores.

3

A marca nunca mais deixou de frequentar os eventos mais badalados de Hollywood. Em 2004, Angelina Jolie encantou-se com o colar Athena, todo em ouro e diamantes, e escolheu-o para se apresentar em um grande evento. Deu-se um problema. A roupa que ela havia selecionado para vestir na festa não combinava com o colar. Angelina não titubeou. Determinou à sua equipe de estilistas que saísse imediatamente em busca de um vestido que ornasse com a peça. Ela causaria furor ao surgir deslumbrante no tapete vermelho trajando um elegante vestido branco que realçava ainda mais o colar e os seus intensos olhos claros.

1 Pulseira Rua das Pedras.
2 Rua das Pedras em Búzios, litoral do Rio de Janeiro.
3 Angelina Jolie com o colar Athena durante premiação do Oscar em 2004.

Pouco tempo depois, em Nova York, Roberto jantava tranquilamente no balcão de um badalado restaurante japonês quando viu a atriz Sharon Stone caminhando com passos decididos em sua direção. Ele olhou para os lados imaginando quem ela estaria procurando. Não acreditou quando a estrela parou na sua frente e pediu para sentar ao seu lado. Roberto corou. Levantou-se e puxou o banco para ela. Languidamente, ela pegou um guardanapo e começou a desenhar um par de brincos. Os dois conversaram durante algum tempo sobre generalidades. Ao se despedir, ela deixou, displicentemente, o guardanapo ao lado dele. Dias depois, ela recebeu em casa um estojo com a joia exatamente como ela desenhara. Então, em uma manhã, ao chegar ao seu escritório na Quinta Avenida, Roberto encontrou um enorme buquê de rosas à sua espera, com um delicado cartão de agradecimento da atriz.

Os anéis, colares, pulseiras e brincos da H.Stern caíram no gosto de uma constelação de Hollywood. Cate Blanchett apareceu belíssima no tapete vermelho trajando um vestido negro e usando como ornamento apenas um par de brincos de diamantes da joalheria. Charlize Theron e Beyoncé circularam com os brincos da marca. Sharon Stone já se apresentou em público, várias vezes, com a exuberante pulseira de argolas da coleção Diane von Fürstenberg. Rihanna e Jennifer Lopez são fãs da coleção Stars, e costumam usar vários dos anéis de diamantes em forma de estrelas, ao mesmo tempo, em vários dedos. Celebridades chinesas e coreanas também consomem a marca. A atriz Zhang Ziyi surgiu numa premiação em Cannes ostentando um par de brincos da joalheria. Para a H.Stern, este marketing costuma dar um retorno espetacular nas vendas. Em um carnaval carioca, Jennifer Lopez postou-se na área VIP do camarote da Brahma, durante o desfile de escolas de samba, ostentando os seus anéis Stars. A equipe de marketing vibrou com a espetacular propaganda gratuita.

Pelo enorme trabalho que envolve o preparo das joias, cada lançamento é precedido de grande expectativa porque nem sempre todas têm a mesma aceitação pelo público. Embora raro, é frustrante quando isso acontece. O trabalho é praticamente perdido porque, se a coleção não agrada, sua fabricação é interrompida e muitas das peças, fundidas.

1 Anéis da coleção Stars.
2 Degradê de brilhantes que compõem as peças da coleção Stars.

Depois da Rua das Pedras, os designers foram se impondo novos desafios. As coleções foram ficando cada vez mais ousadas. Uma das pulseiras expostas pela H.Stern em uma das feiras de Milão foi desenhada com um degradê de cinco tons de diamantes marrons. Com os desenhos em mãos, os compradores correram o Brasil e o mundo em busca das tonalidades exatas pedidas pela criação. Encontrar os cinco degradês solicitados foi um trabalho árduo que exigiu uma descomunal atenção da pequena equipe de compras.

O fato é que, mesmo sendo vários tons de uma mesma pedra, elas têm que ser compradas de um único fornecedor. Quem faz tricô sabe disso. É preciso comprar todos os rolos de lã na mesma loja porque, se forem de estabelecimentos diferentes, ainda que da mesma marca, o lote muda e a tonalidade não será exatamente igual. Com as pedras se dá o mesmo. Se não forem da mesma mina, os tons não combinarão entre si. No caso de marrons, por exemplo, um tenderá para o esverdeado, outro para o dourado, outro para o amarelo, o que inviabiliza qualquer composição. Hoje, os três grandes centros de venda de pedras fora do Brasil são Israel, Nova York e Bélgica. É nesses países que a H.Stern compra a maioria das gemas que não são produzidas aqui.

Desde que Roberto assumiu a diretoria de criação, impôs o desafio de fazer peças diferentes, mas ao mesmo tempo usáveis e vendáveis. E uniu toda a equipe – da criação à confecção, passando pela de compra das pedras – em torno do mesmo objetivo. Todos os funcionários ligados à fabricação de joias participam do projeto de forma que o resultado seja exatamente o idealizado no momento do briefing sobre como deverá ser a nova coleção. Para que tudo funcione, o sistema de Just In Time evoluiu. O processo não é mais dividido em células de produção. Todo o grupo envolvido na produção trabalha junto.

Em uma tarde de 2013, a diretora de produção da H.Stern, Liu Loo Ly, ou Looly, como é conhecida na empresa, foi chamada para uma nova missão. Produzir a chave do Rio de Janeiro que seria entregue ao papa Francisco durante a sua estada na cidade para a Jornada Internacional da Juventude. Looly, chinesa de Taiwan que veio ainda pequena para o Brasil, formou-se em engenharia civil e entrou para a H.Stern nos anos 1990, na área comercial. Com o tempo, assumiu uma das supervisões de vendas no Brasil e montou toda a operação do México. Depois de 23 anos na área, Roberto decidiu mudá-la para a diretoria de produção.

Looly já tinha participado de muitos projetos ousados, mas produzir uma chave da cidade, em prata, era algo que ela jamais tinha imaginado. Uma das designers foi convocada para projetar a peça, e prontamente desenhou uma chave com detalhes especiais, góticos, com uma altura de 30 centímetros. Uma extravagância absoluta em termos de joias. Como as peças da empresa são em dimensões normais para anéis, pulseiras e colares, Looly se assustou ao receber o desenho. Não imaginava que aquela chave teria, no mínimo, dois palmos a mais do que o tamanho das joias que confeccionam.

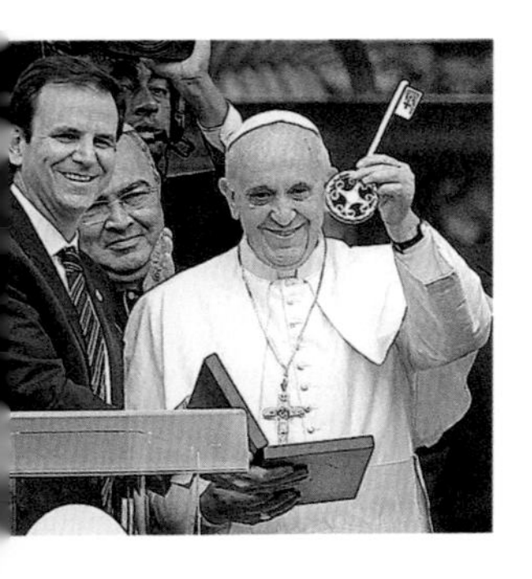

O papa Francisco recebe a chave da cidade, confeccionada pela H.Stern, durante a Jornada Mundial da Juventude, em julho de 2013.

A fabricação da peça causou tanta comoção por causa da admiração da equipe pelo novo papa que, ao final, Roberto achou que tinham que criar uma coleção em torno dele. Surgiu assim a linha Papa Pop, com anéis, pendentes e cordões utilizando os mesmos ornamentos da chave. A linha gótica acabou virando algo meio punk, para fazer jus à postura progressista de Francisco. E, ousadia das ousadias para a alta joalheria, até um brinco com piercing foi produzido.

A área de produção da H.Stern tem cerca de trezentas pessoas entre designers, ourives, cravadores e lapidários. Apesar da maior eficiência do processo de fabricação hoje, a empresa não abandonou a característica artesanal na confecção das suas peças. O que Looly fez, junto com sua equipe, foi encontrar o equilíbrio entre o trabalho manual e a contínua necessidade de agilizar os processos. O sistema de confecção das joias foi aperfeiçoado. Antes da fabricação definitiva, são desenvolvidas cinco peças testes de cada joia. A partir delas, é feita uma avaliação técnica para testar a sua funcionalidade. É preciso saber se a joia tem o peso correto, se é confortável e se é prática a ponto de ser usada todos os dias. No caso de brincos e pulseiras, é realizado também um teste de avaliação de barulho ao movimentar os pulsos e a cabeça. Se a peça for barulhenta, é imediatamente descartada.

Também é preciso testar o tempo padrão de confecção de cada peça para saber se a produção terá capacidade de fabricar a quantidade requerida no tempo estipulado. Nessas cinco peças prévias, a produção consegue definir o tempo médio de fabricação de cada modelo.

Na fase de teste, as peças passam por toda a oficina: ourivesaria, cravação, polimento. Em cada processo, o tempo vai sendo avaliado. Como as peças são feitas uma a uma por profissionais diferentes, o resultado final tem que ser igual. Por isso o teste prévio é tão importante, pois será o roteiro a ser seguido à risca por todos na hora da confecção das peças definitivas.

A fabricação segue uma trajetória única: começa com a aprovação do desenho por Roberto, que avalia todos os croquis antes de liberá-los. Em seguida, no caso dos desenhos mais complexos, o desenho vai para modelagem em papel, como em uma confecção de roupa de alta-costura. Aprovado em papel, é feita a primeira peça em prata, que é um metal mais fácil de manusear. Só depois é confeccionado o protótipo em ouro das cinco peças. Começa, então, a fase de correção, que é o teste funcional. As joias são todas experimentadas. Todas as correntes, por exemplo, passam por teste de tração. Precisam ser firmes, mas têm que romper ao serem arrancadas do pescoço com certa força, no caso mais extremo de um assalto, por exemplo. É preciso saber exatamente qual é o ponto limite do rompimento para não ferir o pescoço do usuário. O processo de teste leva em torno de duas semanas. Se chegam à conclusão de que a peça não é confortável, a fabricação é abortada.

O que aumenta o desafio da produção é que, ao contrário da maioria das joalherias em todo o mundo, a H.Stern lança duas coleções ao ano. Obviamente, o processo é muito mais fácil para aquelas joalherias que fabricam há décadas os mesmos modelos. Mas, por outro lado, não há renovação. Como está sempre de olho em coisas novas, a H.Stern se arrisca mais porque ousa mais.

Nas oficinas, existe certa atmosfera de alquimia. Os ourives fazem várias misturas de ouro e, dependendo da mistura, é possível criar outra cor. Foi através dessas experiências que a H.Stern chegou ao ouro nobre, um ouro com uma cor especial, intermediária entre o ouro branco e o amarelo, que virou segredo industrial. O ouro nobre, pela sua tonalidade, permite várias combinações com ouros de outra cor e se mistura com elegância com qualquer cor de pedra.

A produção, embora artesanal, envolve muita ciência e pesquisa. Para isso, a H.Stern tem uma parceria com a Escola Politécnica da Universidade de São Paulo. Lá são feitas análises permanentes de composição e comportamento do metal, para testar se as moléculas do ouro estão uniformes, se não há um espaço vazio ou outra coisa no meio do metal que desvalorize a peça caso vá para produção.

Desde a fundação da empresa, Hans e Kurt sempre se preocuparam com a qualidade das joias. Achavam que este seria o diferencial da joalheria, principalmente porque o Brasil não era visto com muita credibilidade no exterior. Folclórico, exótico, malandro, eram estes os conceitos que os estrangeiros tinham do país. E tudo o que Hans e Kurt queriam era que a H.Stern fosse vista como uma empresa séria, no mesmo padrão das joalherias internacionais. Tanto que, ainda nos anos 1950, criaram o certificado de garantia que existe até hoje. Essa exigência nunca foi abandonada, apesar do aumento dos custos que o padrão de qualidade envolve.

Os novos tempos também impuseram novos controles. Todas as peças da H.Stern passam pelo espectômetro de massa, um equipamento que mede se o teor do ouro é realmente de 18 quilates. A única forma de se ter absoluta certeza desse teor é passar todas as peças pelo equipamento. Como é grande exportadora de joias e tem lojas em vários países, a H.Stern se adapta a todas as normas de fabricação da Europa e dos Estados Unidos para não ter problemas de aceitação do produto.

Em 2014, a área de produção se viu novamente desafiada a desenvolver uma peça original para uma nova coleção: o anel articulado. Para que ficasse confortável no dedo, os técnicos tiveram que conseguir as três medidas de falange, porque a peça precisa se movimentar suavemente. Caso contrário, se assemelharia a uma desconfortável armadura.

Foi feito também um estudo de durabilidade, para se ter certeza de que o anel não se quebraria ao ser constantemente movimentado nas falanges. Até mesmo um microparafuso de ouro foi desenvolvido. Deu enorme trabalho. Mas no começo de uma tarde em 2013, quando finalmente encontraram a solução, foi uma festa. Todos se abraçaram comemorando o resultado. Quando Looly levou o anel para Roberto ver, ele brincou sobre o sofrimento dos funcionários para chegar àquele resultado. Looly respondeu: "Quanto mais difícil é o problema, mais gratificante é encontrar a solução." Ele provocou: "Para quem já fez uma estola de ouro para a coleção Irmãos Campana, este anel deve ter sido fichinha."

Estola de ouro, joia-conceito confeccionada toda em franjas, contendo 80 mil fios de ouro de 6 cm de comprimento.

capítulo XXV

Colaborações

Após a euforia com o lançamento da primeira coleção mundial, Roberto começou a se angustiar. O que de novidade a H.Stern poderia apresentar? Os últimos quatro anos tinham sido tão intensos e produtivos que ele temia que suas ideias tivessem se esgotado. Nesse caso, como faria para dar continuidade ao processo tão ousado e ambicioso que havia desencadeado? O que mais o intrigava era que, quando não conhecia quase nada de joia e estilo, tudo era possível. As ideias brotavam na sua cabeça. Agora, que passara a entender de tudo, elas pareciam lhe escapar. Ou ele temia que elas lhe escapassem. Na verdade, Roberto estava sendo presa das dúvidas que costumam assaltar a maioria das pessoas após um grande esforço criativo bem-sucedido.

Ele sabia que a trajetória tinha sido correta. Mas como seria dali para a frente? Essas dúvidas o afligiam e ele se sentia tremendamente só. E foi ao se dar conta da sua solidão que teve a ideia de chamar colaboradores para ajudá-lo nas novas coleções da joalheria. Quem sabe artistas, estilistas, designers de interior? Quanto mais ele pensava, mais gente criativa ele visualizava. O projeto tomou corpo. Ele acabara de encontrar um novo caminho. Na verdade, os colaboradores não desenhariam as joias. Disso a joalheria não abriria mão. Mas eles podiam ser fonte de inspiração. As joias que saíssem das pranchetas dos designers da H.Stern dariam forma ao olhar desses colaboradores sobre o mundo. Elas traduziriam as coisas de que eles gostavam, os seus objetos afetivos, o que os inspirava, o que os apaixonava. A H.Stern veria o mundo através dos olhos deles. As coleções, na verdade, seriam uma parceria com a alma dos seus colaboradores.

A primeira parceria foi com Costanza Pascolato. Elegante e sensível, encantada com joias, moda e estilo, ela seria a primeira fonte de inspiração. Costanza adorou a ideia de ter seu estilo replicado nas joias e se pôs a mostrar para os designers tudo o que a encantava: peças amassadas, tortas, orgânicas e fluidas como as formas da natureza. Até mesmo um sapinho de ouro de estimação ela desencavou do meio dos seus pertences mais queridos.

Adriana Miotto, uma jovem designer da H.Stern em São Paulo, estava havia mais de três anos na empresa e não se sentia empolgada com o trabalho que vinha fazendo. Quando fora admitida, imaginava que sua vida na joalheria seria outra, com milhares de coisas diferentes para fazer. Mas o que ela vinha sendo obrigada a reproduzir, até então, eram joias pesadas, tradicionais, que ela, pessoalmente, jamais usaria. Foi então que Roberto a chamou para discutir a nova coleção em colaboração com Costanza. Quando ela viu a proposta das tais joias desconstruídas, não acreditou. Era tudo o que ela sonhava: ousadia.

A equipe fez um trabalho quase de psicanalista com Costanza. Era preciso que as joias tivessem a cara do colaborador. A orientação de Roberto para os designers era de que se colocassem no lugar do outro. Sentissem como o outro sentia, entrassem no seu universo particular. Aquela alteridade o fascinava. Era isso que justificava a ideia da parceria.

O resultado dessa primeira colaboração refletiu exatamente o mundo de Costanza. Tudo de que ela gostava fora reproduzido nas joias: peças queimadas, brutas, amassadas, selvagens. Colares fluidos como plantas aquáticas, pulseiras que lembravam dentes irregulares de animaizinhos pré-históricos. E, o mais curioso: um lado avesso perfeito. O forro da joia, o lado de dentro, o fecho, como Costanza explicou para os designers, precisava ser tão cuidado quanto o forro macio de um vestido de alta-costura.

Aprovados, os croquis foram levados para os ourives. Mas aí começou um bafafá. Eles não acreditavam no absurdo que estavam lhes pedindo para fazer. E simplesmente se recusavam a amassar o ouro, achatá-lo, raspá-lo, queimá-lo, o que, na visão deles, seria profanar o metal que tanto prezavam. Como eles poderiam dar uma forma torta para um anel? Impossível. Não podiam aceitar aquilo. Era uma heresia. Estavam lhes pedindo que fizessem uma peça defeituosa, justamente para eles, acostumados a lidar com o perfeito, com o simétrico.

Roberto foi para a oficina. Sabia que seria preciso quebrar-lhes a resistência. Mostrar-lhes que havia outro conceito de beleza além do perfeito. E desafiou-os a ousar, pois eles iriam fazer algo completamente novo, que nunca fora tentado. Depois de muita conversa, explicações e afagos, os ourives foram cedendo, ainda que desconfiados de que algo muito estranho estava acontecendo. Ao final, acabaram se convencendo e comprando a ideia. Mas com a condição de que, se tudo desse errado, se o público odiasse aquela loucura, não fossem culpá-los.

Quando a coleção chegou às lojas, a reação foi a melhor possível. Todo mundo queria possuir aquela novidade. Era lindo, moderno, elegante. Aquelas pedras grandes, naqueles anéis amassados. Que mulher não gostaria de sair usando uma joia que rompia completamente com o tradicional?

No começo de 1998, Roberto estava confiante de que suas ideias não o haviam abandonado e ele tinha um mundo a ser explorado. O conceito de colaboração abria possibilidades infinitas. E ele se punha a divagar, pensando na quantidade de pessoas interessantes, que tinham trabalhos criativos que podiam colaborar com a H.Stern. Havia curado o medo da paralisia. E queria mais: queria percorrer caminhos jamais tentados.

Em uma viagem a Nova York, durante uma conversa com alguns conhecidos, Roberto foi apresentado ao trabalho do fotógrafo Albert Watson. Conforme olhava suas fotos, convencia-se de que precisava conhecer Watson, tamanho o seu fascínio por sua obra. Imaginou que, se o outro topasse, poderiam fazer um livro bastante arrojado para marcar a nova fase da joalheria. Não sabia ainda o que, mas queria discutir o assunto com o fotógrafo. E descobriu que Watson morava em seu estúdio no decadente Meatpacking District, uma área lotada de açougues e armazéns de atacado, ao sul de Manhattan, considerado hoje um dos locais mais charmosos da cidade.

Em uma fria manhã de inverno, Roberto tomou um táxi e foi em busca do fotógrafo. Rodou por ruelas barulhentas, atravancadas por caminhões de carga, caixotes e o que mais se podia esperar de uma área de comércio de carne. Quando finalmente encontrou o estúdio, parou à frente da porta e tocou a campainha. O próprio Watson abriu a porta. Com medo de que o outro não lhe desse tempo de explicar a que vinha, Roberto despejou: "Sou da H.Stern no Brasil e quero fazer um livro audacioso com você."

Watson pediu que ele entrasse. Conversaram durante um bom tempo. O fotógrafo coçou sua barba rala e ficou de pensar em algo.

À noite, saíram para jantar com um grupo de amigos. Watson falava com entusiasmo sobre sua ideia de livro para a joalheria. Seria um diário perdido de um viajante do futuro que volta ao passado. Quanto mais vinho tomavam, mais a ideia ganhava corpo. Despediram-se com a promessa de darem forma ao projeto. Quando se reencontraram, algumas semanas depois, Watson não lembrava de mais nada do que havia dito. Para a sorte de Roberto, um dos convidados presentes anotara a conversa.

O *Diário perdido* foi produzido com fotos feitas no estúdio do fotógrafo e misturava modelos maquiados e vestidos como seres humanos pré-históricos enroscados nas joias das novas coleções da H.Stern.

Fotos de Albert Watson para o livro *Diário perdido*, produzido pela H.Stern em 1998.

Ao lado de cada uma das fotos havia fragmentos com anotações de viagens, cujo efeito de folhas de papel destruídas pelo tempo ele obtivera queimando as bordas das fotos. Quando Roberto mostrou ao pai o livro impresso, Hans reagiu com um comentário cáustico: "Isso é a coisa mais horrenda que já vi em minha vida." E complementou: "Ninguém mais vai querer comprar nada dessa empresa. É melhor queimá-lo." No que Roberto respondeu, brincando: "Fica tranquilo, pelo menos as fotos já foram queimadas nas bordas."

Dali em diante, o livro serviria de parâmetro para tudo que Roberto pensava para a criação. "Me diga, é melhor do que aquele diário perdido?", Hans perguntava. E quando Roberto dizia que sim, o pai respondia: "Então tudo bem, pode fazer."

Em uma manhã de 1999, uma representante do marketing da H.Stern ligou para Roberto. Tinham um dilema. O músico Carlinhos Brown pedira emprestado um colar para se apresentar em um show. Embora alertado de que o colar de ouro, com penas estilizadas no mesmo material, fosse feminino, o artista não vacilou. "Se a Naomi Campbell usa, eu também posso usar", disse, referindo-se ao fato de a modelo inglesa ter sido fotografada com a joia. O pessoal do marketing temia que o colar passasse a ser identificado com o universo masculino. Roberto discordou.

O colar foi emprestado e nunca devolvido. Tempos depois, Roberto procurou Brown. Não para cobrar o colar, mas para esclarecer algo que o intrigara. Na verdade, tinha lido uma entrevista de Carlinhos dizendo que não gostava de ouro. Diante de tal contradição, perguntou ao cantor se ele havia mudado de ideia. Ouviu um sim como resposta. Agora, ele gostava muito do metal.

Foi a deixa para Roberto convidá-lo para assinar uma coleção. Carlinhos se entusiasmou. E abriu as portas de sua casa no Pelourinho, em Salvador, para os designers da H.Stern. Lá eles tiveram contato com as peças de estimação do artista: seus colares, turbantes, instrumentos. Abriram seus armários, viram suas roupas, vasculharam sua história. Roberto achava Carlinhos extremamente fashion e elegante, um artista novo, que quebrava padrões. Exatamente o tipo de personalidade que ele buscava para assinar uma coleção da joalheria.

O trabalho com Brown foi gratificante e divertido. Simpático e sedutor, ele chegava à H.Stern vestido apenas de cueca (Armani), camiseta e um turbante, deixando as funcionárias da empresa agitadíssimas. Era um frisson toda vez que ele aparecia. Sempre disposto a colaborar, Carlinhos deixou sua marca em uma das mais revolucionárias coleções da joalheria. Quando suas joias foram lançadas na loja da H.Stern, na Oscar Freire, em São Paulo, Hans fez questão de comparecer ao evento. Não porque gostasse daquilo. Achava tudo uma enorme extravagância (embora não fosse pior do que o livro de Watson, conforme Roberto lhe prometera que jamais aconteceria).

Carlinhos Brown, que assinaria uma coleção, com joias da H.Stern.

Ele olhava para Carlinhos e para aquela coleção tão ousada quanto o artista e não entendia como as pessoas podiam gostar tanto do cantor e das joias.

No meio da noite, viu que Ruth, sua mulher, conversava animadamente com Brown. Ao deixarem o evento, surpreendeu-se com o entusiasmo da mulher. Ela dizia o quanto o músico baiano era simpático, criativo e gentil. Depois de algum tempo ouvindo todos aqueles elogios, Hans não se conteve: "Até você, Ruth?"

Em 2001, Roberto voltou ao Meatpacking District. Dessa vez a convite de Diane von Fürstenberg, a lendária estilista que fizera sucesso mundial nos anos 1970 ao lançar o wrap dress, que viraria febre entre as mulheres. Nessa época, ela, que durante anos se afastara do mundo fashion, estava voltando à ativa. O encontro dos dois se deu na casa da estilista, que fazia as vezes de showroom. Diane foi direta. Disse a Roberto que propusera a Hans, havia muitos anos, desenvolver uma coleção para a joalheria. Confessou sua paixão pela H.Stern, pelo cuidado das joias, o tratamento artesanal, a beleza das pedras, a qualidade do ouro. Contou que Hans a ignorara, mas que ela queria agora repetir a proposta ao filho.

1

2

Roberto, em um primeiro momento, também não se entusiasmou. Naquela primeira conversa, Diane dizia que queria fazer joias para nocautear os homens. Ele achou a proposta um tanto bélica e a ignorou.

Diane não desistiu. Dizia que havia sido esnobada pelo pai (Hans), esperara o filho (Roberto) crescer e não ia aceitar ser esnobada de novo. Em uma das viagens de Roberto aos Estados Unidos, ela novamente o convidou para um encontro, dessa vez para passar o dia em sua casa de campo, a Cloudwalk, um lugar especial para ela, em Connecticut. Roberto aceitou o convite. Lá, relaxada, com os pés descalços revolvendo a água da piscina, ela contou sua história. Suas alegrias, suas perdas, suas paixões, seus medos. Na frente dele, não estava mais a mulher que queria nocautear os homens, mas uma mulher suave, ao mesmo tempo forte e decidida. Ali ela lhe explicou o conceito de nocaute. O que ela imaginava era nocauteá-los metaforicamente com o poder feminino.

1 Roberto Stern e Diane von Fürstenberg.
2 Anel Power Ring, coleção DVF.
3 Imagem da campanha da coleção Grupo Corpo, pulseira Parabelo.

3

Ficaram amigos. Roberto aceitou que ela assinasse a coleção que tanto desejava. Novamente, a turma de designers vasculhou a casa, as roupas, as joias, os cantos preferidos dela. E chegou-se à belíssima coleção Diane von Fürstenberg, cuja marca registrada é a enorme pulseira com elos de ouro, que os advogados da H.Stern tiveram grande trabalho para impedir que fosse copiada por concorrentes, tamanho o sucesso que fez mundo afora. Também foi desenhado o anel Power Ring, que pelo corte de suas facetas, no fim das contas, poderia ser usado para um nocaute literal.

As colaborações se seguiriam. Roberto encontrou inspiração na dança do Grupo Corpo. Ao ver o trabalho da companhia de dança mineira, achou que tinha grande inteiração com a história da empresa. Era um balé ao mesmo tempo clássico e contemporâneo. Brasileiro e universal. Distante dos clichês da dança brasileira, que, para os estrangeiros, se resumia ao samba. Ao contatar Paulo e Rodrigo Pederneiras, diretores da companhia, o entrosamento foi imediato. Os designers da H.Stern passaram meses acompanhando os bastidores do Grupo Corpo. Cada linha de joias foi inspirada em uma coreografia. Os designers transformaram cenários e corpos em movimento em joias.

1

2

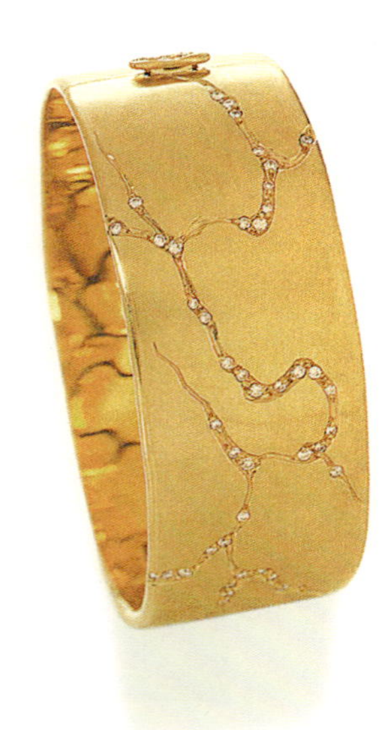

3

Roberto também transmutou em joias as formas originais dos móveis dos irmãos Campana, as esculturas de Ana Bella Geiger e as pinturas de Roberto Burle Marx. Todas aquelas pessoas, seus objetos, suas ideias e seus sonhos iam se traduzindo em pulseiras, brincos, colares e anéis.

1 Roberto Burle Marx, *Composição ocre*, acrílica sobre tela, 1983.
2 Capa do catálogo da campanha da coleção Irmãos Campana.
3 Pulseira coleção Orbis Descritpio, inspirada no trabalho da artista plástica Anna Bella Geiger.
4 Brinco Alvorada, coleção Oscar Niemeyer.
5 Oscar Niemeyer e Roberto Stern.

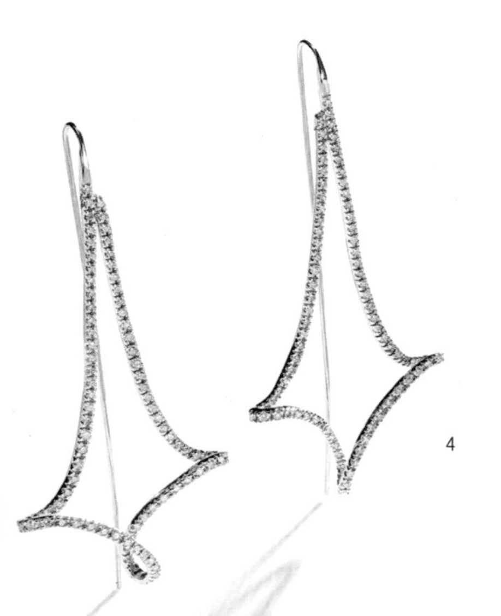

4

5

"Faça algo belo. É só isso que eu peço." Essa foi a resposta que Roberto ouviu do arquiteto Oscar Niemeyer, no final da vida, ao propor a ele uma coleção com seu nome. Já entrado na casa dos 100 anos, Niemeyer sentou-se com Roberto na cobertura do arquiteto em Copacabana para ouvir a proposta da coleção. Seus olhos brilhavam. Ele havia feito de tudo na vida, menos uma coleção de joias. Foram semanas de conversa. Roberto impressionava-se com a disposição quase juvenil do arquiteto, que, certo dia, mandou içar um piano para seu apartamento a fim de organizar saraus para os amigos que o visitavam todas as tardes. Apesar da idade avançada, a criatividade e o prazer de viver não o tinham abandonado. Ao fazer a coleção, os designers buscaram repetir os traços fluidos, inspirados nas curvas femininas que o arquiteto tanto apreciava. Das pranchetas saíram joias finíssimas como se não pudessem suportar o todo, tais como as colunas que sustentam os palácios do arquiteto. Ali estava a essência de Niemeyer. Uma leveza que parece flutuar no infinito.

Ao ver as joias, Niemeyer encantou-se. Era tudo muito belo. Como ele queria. O belo, que sempre fizera parte da sua vida.

capítulo XXVI

Crise

"Se você quiser sair, saia", Hans disse para Roberto, em tom de voz baixo, mas firme. Era um começo de tarde de abril de 2004 e os dois estavam tensos. Roberto tinha proposto ao pai a mudança de um procedimento da empresa que Hans se recusava a aceitar. Irritado após uma longa discussão que vinha se estendendo desde o início da manhã, Roberto disse, então, que achava melhor deixar a vice-presidência para cuidar apenas da área de criação. Roberto saiu da sala do pai com a decisão tomada. Uma decisão da qual os dois logo se arrependeriam. Mas como ambos tinham personalidades fortes, nenhum deles recuou.

A verdade é que, nos últimos tempos, Roberto e Hans vinham se desentendendo. Como costuma acontecer com relações intensas e muito próximas, passaram a discordar em várias questões, muitas insignificantes, mas que acabavam se transformando em discussões cansativas, com grande desgaste para os dois. Ambos estavam impacientes. Em 2004, Hans era um homem de 82 anos, com a saúde fragilizada e consciente da sua finitude. Queria aproveitar os últimos anos para ter um maior controle da empresa, que deixara na mão do filho. Roberto, por razões diferentes, queria ter total ingerência sobre a gestão. Aos 44 anos, ele tinha pressa e se afligia com a sensação de que a empresa não andava na velocidade que ele desejava.

Parte disso tinha a ver com os momentos de fragilidade pelos quais ele também passara. Em 1998, durante uma viagem à Turquia, Roberto sofrera um grave acidente que quase lhe custara a vida. Enquanto fotografava a paisagem à sua volta, resvalou e caiu em um precipício. Na queda, fraturou o braço e a perna, e teve os ossos da face esmigalhados. Passou por um longo e doloroso processo de recuperação. O contato tão próximo com a morte mexera com ele. Tinha o sentido de urgência daqueles que entendiam que tudo pode acabar em um segundo.

Um dos primeiros desentendimentos com o pai fora em torno do logo da empresa. Roberto achava fundamental mudá-lo e apresentou a Hans seus argumentos. O logo barroco era extremamente masculino e pesado. Feito para uma época em que eram os homens que compravam joias para presentear as mulheres. Agora elas trabalhavam em pé de igualdade com eles e tinham dinheiro para adquiri-las. Além do mais, o logo não combinava com a nova cara da empresa. A H.Stern já ganhara prestígio suficiente. Não precisava mais passar a ideia de tradição.

O movimento, argumentava Roberto, tinha que ser inverso ao de 1945, quando a H.Stern era uma empresa jovem que precisava demonstrar solidez. Agora ela era uma empresa tradicional que precisava mostrar que se modernizara.

Hans concordou que se iniciassem os estudos. Roberto contratou, então, o escritório de Neville Brody – o badalado designer inglês – e apresentou ao pai inúmeras propostas. Hans não simpatizava com nenhuma. Ao final, esgotado, e percebendo que a intenção de Hans era procrastinar o assunto, Roberto jogou a toalha. "Ok, pai. Já entendi. É o seu nome e eu respeito que você não queira mudá-lo. Mas, por favor, assuma isso e não fique me enrolando." Hans, pego na contradição, capitulou, mas desta vez sem dizer a costumeira frase "Discordo, mas pode fazer".

H.Stern

H.Stern

HStern

Evolução do logo da H.Stern.

Sem uma negativa formal por parte do pai, Roberto sentiu-se autorizado a fazer a alteração. Determinou ao departamento de marketing que, na semana seguinte, os anúncios já fossem veiculados com o novo logo que ele havia escolhido: limpo, de traços finos, com um insinuante S lembrando, ligeiramente, uma silhueta feminina.

No entanto, mesmo que ao final entrassem em acordo, esses embates eram desgastantes. Roberto se cansara das discussões com o pai. Hans, por sua vez, achava que, se o filho deixasse o comando, ele também se livraria dos seus constantes questionamentos. Com os executivos, ele teria uma relação mais formal.

Ao contrário do que imaginara, porém, a saída do filho, ao invés de lhe fortalecer e aumentar sua influência na empresa, o enfraqueceu. Embora pessoalmente os dois nunca tivessem deixado de se falar e de se frequentar, Hans foi tomado de uma profunda tristeza. Deixou a presidência da empresa e assumiu o conselho de administração, nomeando um presidente para o seu lugar, e um vice para o do filho. Teoricamente, ele estava profissionalizando a companhia, entregando o seu comando para pessoas de fora da família.

Nessa época, Ronaldo abandonara a área de informática e se afastara da sede para assumir a operação americana. Ricardo, que fora o responsável pela revolução da produção, já deixara a joalheria havia alguns anos para se dedicar a um novo negócio. Após a saída de Roberto, Marcel Sapir também se desligou da empresa e Julio Spector faleceu precocemente de um tumor no cérebro. O *dream team* que trabalhara unido por tantos anos e revolucionara a companhia se desintegrara. O desmanche do grupo e a ascensão dos novos gestores, no entanto, teriam consequências danosas para a empresa. E Hans não teria mais forças para enfrentar as tempestades que se avizinhavam.

Apesar de o mundo estar passando por um momento de grande prosperidade, os novos tempos seriam erráticos para a H.Stern. Em 2003, ainda na gestão de Roberto, a empresa havia iniciado um processo de vendas no atacado para joalherias e lojas multimarcas no exterior. A ideia era testar, aos poucos, o novo processo. Os gestores que o substituíram, porém, muito influenciados pelas ideias de um consultor contratado para tratar do assunto, encantaram-se com o projeto e transformaram essas vendas no foco da joalheria.

O conceito desse negócio era vender as peças para lojas multimarcas, que as venderiam para o consumidor final. Assim, a distribuição das joias passou de 150 pontos próprios para quase trezentos, contabilizando os de revenda. Em um primeiro momento, a impressão que se tinha era de um estouro nas vendas da H.Stern, pois esses intermediários compravam as peças para montar o estoque inicial. Para atender a essa suposta demanda, a empresa foi obrigada a aumentar drasticamente a sua produção, elevando de forma acentuada as compras de matérias-primas. Chegou-se ao ponto de se considerar criar um terceiro turno na ourivesaria.

Para manter esse ritmo de expansão nas vendas, era preciso continuar multiplicando a rede de distribuição. O negócio, no entanto, era inviável, principalmente porque não havia pontos de venda em quantidade e gabarito exigidos para expor o material de alta joalheria da H.Stern.

Em 2005, ficara evidente que a estratégia tinha dado errado. Não houve a prospecção de pontos de venda esperada e o estoque da H.Stern estava lotado de matéria-prima para fabricação de peças para repor as vendas que não aconteceram. Pior. Como o foco era todo no exterior, o mercado interno ficou desabastecido. Justamente em um momento de demanda aquecida no Brasil.

Os gerentes das lojas brasileiras se desesperavam. No Natal de 2005, de passagem pela loja do Shopping Iguatemi, em São Paulo, uma das mais importantes da rede, um supervisor da joalheria perguntou como estavam as vendas do novo catálogo natalino. Para seu espanto, a resposta foi de que não estavam acontecendo simplesmente porque a mercadoria não chegara. A realidade era que a H.Stern não tinha joias para entregar internamente. Os consumidores, ávidos pelas peças da nova coleção, saíam das lojas de mãos abanando.

Embora os novos executivos consultassem Hans diariamente, eles não expunham com clareza o que estava ocorrendo. Ou seja, lá fora, as vendas não refletiam a realidade registrada nas mil planilhas, cheias de projeções que não se concretizavam. E, no Brasil, as lojas não tinham mercadoria para vender. Os executivos, no entanto, alegavam que o sacrifício no mercado interno era necessário para sustentar o alardeado sucesso do projeto externo, que, na verdade, nunca aconteceu.

O problema é que, em vez de abortarem o quanto antes a estratégia que claramente estava caminhando para o desastre, os executivos pisavam cada vez mais fundo no acelerador, produzindo mais joias para as lojas multimarcas, na esperança de, assim, multiplicarem as vendas. Com isso, o caixa da empresa começou a ser sacrificado. Outro grande problema foi que, para sustentar esse projeto, os executivos passaram a endividar a empresa muito acima dos seus padrões.

Em uma tarde, uma das responsáveis pela área administrativa foi avisada de que era preciso liberar recursos da operação brasileira para cobrir novas despesas no exterior. Desesperada, ela argumentou que o dinheiro já estava comprometido com o pagamento de fornecedores e dos funcionários. Como resposta, ouviu a orientação: "Consiga então mais um emprestimozinho bancário para a empresa." Naquela noite, ao voltar para casa, a gestora, preocupada com os rumos que a companhia vinha tomando, chegou a pensar em pedir demissão. Ela mudaria imediatamente de ideia, no entanto, ao receber uma notícia que a deixaria profundamente consternada.

capítulo XXVII

Cerimônia de adeus

Na manhã do dia 27 de outubro de 2007, os funcionários da H.Stern foram surpreendidos com um comunicado de Ruth informando a morte de Hans. Hospitalizado havia alguns dias em razão de uma infecção generalizada, Hans Stern morrera naquela madrugada, menos de um mês após ter completado 85 anos. O comunicado de Ruth era curto e carinhoso.

> É com profundo pesar que comunico o falecimento do meu querido esposo, sr. Hans Stern, ocorrido nessa madrugada. A família, sensibilizada, agradece todas as manifestações de apoio recebidas durante o período em que "seu" Stern, como era carinhosamente chamado pelos seus colaboradores, esteve hospitalizado. Sua energia, dedicação e pioneirismo foram e serão sempre exemplos e fonte de inspiração para todos nós. A sua lembrança permanecerá presente, como alicerce essencial desta empresa. Conto com o apoio de todos os funcionários para continuarmos juntos trilhando o caminho de sucesso vislumbrado pelo sr. Stern há 63 anos.

Embora soubessem que o patrão estava internado havia alguns dias, poucos sabiam da gravidade do seu caso. Hans, na verdade, vinha morrendo aos poucos, desde que, ao fazer uma cirurgia para a retirada de um câncer de pele, o médico atingiu parte dos vasos linfáticos dos seus lábios, o que lhe restringiu bastante os movimentos da boca. Os efeitos colaterais foram dramáticos. Ele, que sentia grande prazer em comer, perdeu de vez o paladar, que já havia sido bastante afetado por um câncer de garganta que tivera anos antes e o obrigara a se submeter a uma agressiva radioterapia. Mesmo sem quase sentir o sabor da comida, ele costumava pedir à cozinheira que lhe preparasse chucrute, seu prato preferido. Era a comida da sua infância. O sabor, na verdade, estava apenas na memória.

Com o excesso de exposição ao sol, ele acabou desenvolvendo o câncer de pele e era constantemente submetido a cirurgias para retiradas de tumores. Foi em uma delas que os lábios foram atingidos. Desde então, praticamente não conseguia se alimentar. No começo, comia bem devagar, ingerindo pequenas porções. Com o tempo, o esforço para mastigar era tanto que o levou a desistir dos alimentos sólidos. Valia-se de suplementos alimentares.

Assim, aos poucos, seu corpo, sempre mais para o franzino, foi definhando. Com a alimentação comprometida, tornou-se vulnerável a infecções e pneumonias.

Da última vez que adoeceu, pressentiu a morte. Ou simplesmente decidiu que não queria mais viver aquele tipo de vida, que o obrigava a constantes internações hospitalares. Chamou os filhos um a um, durante uma tarde em seu apartamento, no Rio, e se despediu deles. "Agora é o fim mesmo."

No dia seguinte a esta cerimônia de adeus, foi internado. Morreria uma semana depois, de falência múltipla dos órgãos.

Em uma carta-testamento ditada no dia 16 de outubro à sua então fiel secretária, Rose Duarte, para ser entregue à mulher e aos filhos, Hans fez suas últimas considerações, já pressentindo que não sairia com vida do hospital.

Eu tive uma vida feliz e sou grato aos meus filhos e especialmente a você, Ruth, e também aos meus amigos do presente e do passado. E, como já falei várias vezes, a união é que faz a força. A firma precisa sobreviver e a união de vocês é importante para a sua subsistência.

Não posso nem quero mais.

Seu pai tem amor por todos vocês, especialmente por sua mãe, que tem que ser forte.

Lembranças para os netos e noras.

Hans

Ao tomarem conhecimento de sua morte, muitos funcionários, há décadas na empresa, ficaram em choque. Miguel Jacintho de Carvalho, o porteiro que entrara na H.Stern quase menino, agora, já entrado em anos, pensou com pesar em como seria estranho não ver mais o patrão chegar, todos os dias, no mesmo horário – às 8 horas da manhã –, sempre se dirigindo a ele com um respeitoso "Bom dia, senhor Miguel". Acabrunhado em seu canto, Miguel expressou, em voz baixa, o que todos pensavam: "O que será de nós sem ele?" Apesar de seus 85 anos e da aparência frágil, Hans passava uma grande sensação de segurança.

Com Roberto, o seu sucessor, fora da H.Stern, todas as expectativas se voltaram para Ruth. Caberia a ela decidir o que fazer dali para a frente. O futuro da empresa estava nas mãos dela.

capítulo XXVIII

A família reassume

Ruth Stern sentou-se à mesa da sala do 12º andar do prédio da H.Stern, em Ipanema, que o marido ocupara desde 1984, e deixou seus olhos vagarem pelo cômodo. Estava tudo ali, exatamente do jeito que Hans

deixara. Seus livros na estante; as caixas com recortes de jornais e revistas do mundo todo com notícias da empresa e do "senhor das pedras"; sua inseparável Hermes Baby laranja; o porta-retratos com a foto do pai, Kurt, de olhos sorridentes; fotos dela, dos filhos e dos netos; sua grande pasta de couro encostada em um canto; os cachimbos cuidadosamente arrumados e enfileirados, embora há muito ele não os fumasse por causa do câncer na garganta do qual se curara. Era a primeira vez que ela entrava na sala desde a morte dele, treze dias antes. Era difícil acreditar que Hans não estivesse mais ali, tão forte era a presença dele. Durante um tempo, Ruth deixou que as lágrimas rolassem livremente. Então, tomada por um senso de dever, começou a redigir, na mesa que fora dele por tanto tempo, a circular que definiria o futuro da empresa. "A partir de hoje, Roberto Stern assume a presidência da H.Stern." Era dia 8 de novembro de 2007.

Horas antes de emitir o comunicado, Ruth, junto com Roberto, haviam dispensado os executivos que estavam no comando da empresa desde 2004. Em um período de apenas três anos, a H.Stern havia se endividado muito para financiar as exportações das vendas no atacado. Como não houve retorno desse investimento, o caixa da companhia foi tremendamente afetado. O plano de negócios tocado pelos ex-executivos projetara para 2004, o primeiro ano de sua implementação, uma venda de 6 milhões de dólares; de 16 milhões em 2005, de 30 milhões em 2006, e de 52 milhões em 2007. Embora essas vendas nunca tivessem ultrapassado o patamar de 5 milhões de dólares ao ano, continuava-se a produzir mercadoria e a se investir fortunas em marketing para atender a este suposto cenário que os executivos insistiam em dizer que se concretizaria em algum momento. Um grosseiro erro de execução. Como o que fora planejado não batia com a realidade, era óbvio que a estratégia teria que ter sido abortada, o que não foi feito. O resultado foi que, ao final de 2007, a H.Stern, pela primeira vez na sua história, registrou um enorme rombo de caixa.

Ruth tinha consciência de que, para evitar que a situação se deteriorasse ainda mais, o filho – que desde 2005, quando estava fora do comando da empresa, vinha alertando para os erros do modelo – tinha que assumir imediatamente o controle da operação. No dia seguinte à sua nomeação como presidente da joalheria, Roberto iniciou uma corrida contra o tempo. Embora acompanhasse os problemas à distância, agora, de posse de todos os dados, dava-se conta de que a situação era muito mais grave do que havia imaginado.

No dia 9 de novembro, antes das 8 horas da manhã, todas as áreas da companhia receberiam a primeira ordem do novo presidente: "A partir deste momento não se faz mais nenhum novo pedido de fabricação. Vamos usar só o que temos em estoque."

A prioridade seria honrar todos os empréstimos bancários, da ordem de 21 milhões de dólares – o que era totalmente fora dos padrões da empresa, cujo valor máximo de endividamento era cinco vezes menor, mesmo em épocas de grande expansão –, e pagar todos os fornecedores cujas encomendas já estivessem em andamento. Em seguida, chamou à sua sala Oscar Goldenberg, então gerente financeiro, e confiou-lhe a missão de reduzir o endividamento ao nível mais baixo possível.

Era preciso estancar a sangria da companhia de forma a dar folga ao caixa da H.Stern. Para isso, Roberto suspendeu, imediatamente, todos os projetos em andamento: execução de novas obras, eventos de marketing, feiras e abertura de lojas. A segunda providência foi tomar recursos emprestados junto às operações de varejo da H.Stern no exterior, que, por sorte, estavam com os caixas fortalecidos graças a um momento de extrema bonança no mercado mundial.

Os problemas, no entanto, não paravam de pipocar. Logo nos primeiros dias de sua gestão, Roberto precisou lidar com o pânico dos funcionários. Nas reuniões que mantinha em sua pequena sala, também no 12º andar, para tomar pé da situação, ele foi descobrindo, através dos relatos dos executivos, que vários departamentos tinham sido desmontados e muitos procedimentos abandonados pela gestão anterior, sem que nada de novo tivesse sido posto no lugar. Isso deixara a maioria das áreas da joalheria sem parâmetros para atuar. Foi preciso convocar os funcionários mais antigos para recuperar a memória dos processos de gestão e reestruturar os setores desmantelados.

A situação era tensa. Boa parte do esforço do passado de se acabar com a duplicidade de funções havia se perdido. O que se via era uma empresa trabalhando de forma completamente descoordenada. Os comandos das áreas não se falavam. Funcionários no topo da carreira consumiam grande energia na confecção de relatórios exigidos pela implantação do Balance Scorecard, uma metodologia de medição e gestão de desempenho, que funcionava em várias empresas, mas que, na H.Stern, revelara-se um fracasso. O Balance Scorecard, no jargão do mundo de negócios, é uma forma de administração que utiliza alguns métodos de definição da estratégia empresarial, gerência do negócio, gerência de serviços e gestão da qualidade. Por esse modelo, todos os passos da empresa são avaliados por indicadores de desempenho.

No caso da H.Stern, o processo caiu no vazio. Eram produzidas pilhas de relatórios de avaliação, envolvendo centenas de funcionários na sua elaboração, que, na prática, não serviam para coisa alguma, já que os dados projetados pelo plano de negócios não batiam com a realidade. Em pouco tempo, os tais relatórios seriam apelidados jocosamente na empresa de "espanto e gargalhada". Ou seja, ao serem lidos, os relatórios provocavam, primeiro, espanto e, em seguida, gargalhada, tamanho o absurdo dos conteúdos que nada tinham a ver com o real desempenho da joalheria. O destino dessa papelada toda seria o arquivamento.

A área de informática fora invadida por processos e sistemas de controle e planejamento extremamente complexos, muitos dos quais trazidos por consultorias externas. Enquanto isso, outros sistemas vitais para o funcionamento da empresa não foram atualizados. Um desses novos sistemas, o de planejamento e logística, fora tão automatizado que os funcionários pararam de pensar. Chegou-se ao ponto de a máquina tomar as decisões sozinha. Isso porque as fórmulas do sistema eram tão intimidadoras que ninguém ousava contestá-las. Os funcionários eram compelidos a apenas apertar um botão aceitando a projeção do sistema, deixando tudo funcionar no piloto automático.

Ao voltar para a empresa, Roberto foi a campo testar o resultado desse novo processo. Deu-se conta do enorme desperdício de dinheiro que fora a implantação daquilo tudo. O fato é que, embora perfeito no computador, na prática o sistema não atendia às necessidades da joalheria. A lógica estava invertida. O sistema determinava as necessidades da empresa, e não o contrário. Os consultores foram dispensados. O pessoal da área de informática foi estimulado a visitar todos os departamentos para conhecer suas necessidades e, a partir daí, desenvolver as ferramentas para melhorar o funcionamento de cada um. A ideia era simplificar. Quando o novo sistema desenvolvido internamente foi implantado, tudo funcionou de forma adequada. A um custo infinitamente menor.

Os primeiros dias após a volta de Roberto foram tensos. Ele corria de andar em andar para apagar os incêndios que surgiam a todo instante, causados pela instabilidade emocional dos funcionários. Havia uma ansiedade sobre como deveriam proceder dali para a frente, já que tinham que fazer diferente do que haviam feito nos últimos quatro anos.

Somente no início de 2008, a H.Stern voltou a se estabilizar. Foi então que Roberto tomou uma decisão radical. Alterando completamente a lógica que vigorara desde sua saída, em 2004, até a sua volta, em 2007, determinou que a prioridade da empresa passaria a ser o mercado interno, com o restabelecimento dos estoques das lojas brasileiras. Embora naquele momento sua intenção fosse apenas recuperar a operação nacional, que estava sem rumo por ter sido negligenciada nos últimos anos, a ponto de ter perdido espaço para novas marcas, a medida logo se revelaria providencial. Em meados do ano, a crise bancária nos Estados Unidos arrastou para o buraco as economias americana e europeia.

Já no Brasil, como os bancos, por limitações impostas pelo Banco Central, não podiam se alavancar demais, as instituições não foram afetadas de forma dramática. Além disso, o governo de Luiz Inácio Lula da Silva, para compensar o corte total nas linhas de crédito internacionais, determinou ao BNDES e ao Banco do Brasil que socorressem as empresas que ficassem sem crédito.

Dessa forma, a recessão mundial afetou pouco o mercado interno brasileiro. A H.Stern, que havia reduzido suas operações internacionais, muito mais por razões estratégicas do que por antecipação da crise lá fora, acabou ficando em uma posição confortável. Ao avaliar os momentos difíceis pelos quais a empresa passara, Roberto desabafou com seus colaboradores mais próximos: "O que aconteceu nessa empresa? Como ninguém quis perceber o que estava acontecendo? Estava todo mundo cego e seguindo ordens? Voltamos à era de obedecer sem questionar?"

Na verdade, o erro, dizia Roberto, não foi ter feito o projeto de vendas no atacado (que inclusive fora iniciado por ele), mas ter insistido nele ao se perceber que não estava dando certo. Projetar e sonhar alto, ele dizia, é válido. Mas é preciso ter coragem de parar, de desistir, de voltar atrás quando fica claro que não há futuro para o sonho. Com essa reflexão, ele tentava convencer as pessoas da equipe que haviam se dedicado arduamente ao projeto anterior a abandonar todo o trabalho. Muitas sofreram bastante ao ver que toda a energia investida não valera de nada.

Roberto dizia para a equipe que ele mesmo se vira muitas vezes na situação de destruir seus próprios planos e que não havia nada errado naquilo. Ele mesmo ouvira do seu pai, como um mantra, a frase "o primeiro prejuízo é sempre menor". Após as conversas com Roberto, os principais colaboradores se sentiram menos frustrados e, entusiasmados, passaram a dar suporte ao que precisava ser feito para colocar a empresa novamente nos eixos.

Aos poucos, a joalheria recuperou o antigo vigor. Roberto tratou de montar uma equipe de experientes colaboradores em áreas-chave da empresa. Embora sobrecarregado, começava a respirar aliviado ao ver a empresa se aprumar. Com a parte financeira ajustada, após o drástico corte de despesas, a H.Stern, já em meados de 2009, tinha voltado a ter caixa para investir. Isso se tornou possível com a volta das coleções, cuja produção havia sido interrompida.

Entre 2004 e 2007, a joalheria havia lançado apenas duas coleções. Com a volta de Roberto para a operação, todas as ideias da área de criação que estavam represadas começaram a ser executadas. Ele voltara para a empresa cheio de planos, e logo a H.Stern lançaria duas coleções: a Grupo Corpo e a Natur. Viriam outras: Niemeyer, MyCollection (para o público mais jovem), Alice (baseada no filme de Tim Burton), Burle Marx, Galilei, Iris, Ancient America, Jogos de Cartas, além de uma reedição da coleção Diane von Fürstenberg.

Dois anos depois, Roberto recebeu um telefonema do irmão Ronaldo, de Nova York: "Você gostaria que eu voltasse ao Brasil?", Ronaldo perguntou. Roberto não pensou duas vezes: "Venha, por favor. Vai ser muito bom poder contar com você aqui, não vou aguentar sozinho no topo." Com a chegada de Ronaldo, o time estava finalmente pronto para iniciar uma nova era. Agora, a companhia precisaria se preparar para enfrentar um mundo onde quase todas as joalherias tradicionais de capital fechado da Europa haviam sido compradas por grandes grupos como LVMH, Kering e Richemont.

A missão seria definir os rumos da empresa em um mercado cada vez mais concentrado. O Brasil passou a ser invadido por marcas estrangeiras, e a H.Stern precisaria reafirmar sua vocação de ser forte no mercado interno, competitiva e sem perder jamais a sua marca registrada: a excelência do produto. Agora, os jovens, mais maduros, estavam mais serenos para encarar os novos desafios.

Com Roberto na presidência executiva, o conselho da H.Stern voltou a ficar apenas nas mãos da família: Ruth, Roberto, Ronaldo, Ricardo e Rafael, o caçula, que é engenheiro e trabalhava em uma empresa de telecomunicações.

Os quatro meninos de Hans casaram, tiveram filhos, separaram-se, casaram-se novamente. Roberto é pai de uma menina; Ronaldo, de dois rapazes e uma moça; Ricardo, de um rapaz e duas meninas; e Rafael, de duas meninas. Todos ainda muito jovens para trabalhar na empresa. Mas sabendo que terão essa oportunidade, se desejarem. A única exigência: para estar ali é preciso dar duro e trabalhar de verdade. Os irmãos se comprometeram a jamais permitir que a empresa seja cabide de emprego para a família. Embora seja uma empresa familiar, a forma de gestão terá que ser sempre profissional.

Dias após a morte do pai, Roberto foi procurado por um advogado que dizia que Hans tivera dois filhos fora do casamento com Ruth. Os dois filhos também desconheciam essa paternidade, pois haviam sido criados pelo padrasto, que sempre acreditaram ser o pai verdadeiro. Após um acordo entre as partes, o caso foi encerrado e eles nunca mais se viram. Diferente da situação da irmã, Lidia, que Hans soubera ser sua filha quando a moça completou 15 anos e o procurou na H.Stern, ainda nos anos 1960. Lidia, que teve dois filhos, mantém um bom relacionamento com os quatro irmãos e com Ruth, que sempre a acolheu.

capítulo XXIX

Gênesis

Na tarde de 12 de junho de 2015, Roberto foi chamado a uma das salas de reunião do 12º andar da H.Stern. Sua secretária, Isabel da Cal, preparara uma festa surpresa para comemorar o aniversário do chefe, que, naquele dia, completava 56 anos. Era uma cerimônia muito simples. Na sala estavam o irmão Ronaldo, Isabel – na empresa há quase trinta anos, ela entrou aos 17 anos como recepcionista e chegou à secretaria executiva da presidência junto com Roberto – e três jovens assistentes. Sobre a mesa, um pequeno bolo comprado em uma padaria próxima à empresa, um prato com salgadinhos e duas garrafas de Coca-Cola light, que Roberto consome em quantidade. Na parede, alguns balões coloridos davam ar festivo à sala.

Roberto estava particularmente feliz. Na véspera, fizera uma visita à oficina de joias e se encantara com o que vira. Até pouco tempo, o local, cuja produção é artesanal, não tinha nenhum processo informatizado. Os chefes da oficina, Toninho e Magal, estavam entusiasmados com o sistema recentemente instalado, que permitia que eles acompanhassem on-line o trabalho dos técnicos – ourives, cravadores e lapidários. Todo o processo de confecção das peças estava agora à frente deles, o que lhes permitia conferir todas as etapas da feitura das joias. Desta forma, a produtividade e a eficiência da oficina aumentaram, pois se tornara possível identificar, por exemplo, que etapas da fabricação precisavam de reforço e deslocar imediatamente pessoal para ajudar os mais sobrecarregados. Pelo computador, era possível visualizar ainda os funcionários disponíveis para trabalhar em alguma nova peça.

Os técnicos também estavam animados por poderem contar com a informática para ajudá-los na fabricação das joias. Pelo computador, podiam tirar dúvidas, mostrar seu trabalho ou discutir alguma questão da fabricação no exato momento em que estão produzindo a peça. A tecnologia, no entanto, não reduziu o contato entre eles. Embora contem com esta ferramenta, costumam sair de suas mesas para olhar detalhadamente as peças que estão sendo executadas pelos colegas, mostrar as suas e discutir uns com os outros os mínimos detalhes, seja de um anel elaborado ou de um simples caimento de uma argola.

Roberto viu naquele processo o que ele considerava ideal na gestão da área de informática da empresa: utilizar a máquina com inteligência. A tecnologia jamais poderia substituir a criatividade e a iniciativa de seu pessoal. Naquele mesmo dia, ligou para a chefe do departamento de processos, Márcia Pinheiro, e a chamou em sua sala. Fora ela quem desenvolvera o sistema da oficina. Queria lhe dar os parabéns.

Márcia foi uma das que mais sofreram com o desmonte dos sistemas terceirizados, determinado por Roberto. Ela ficou dois anos quebrando a cabeça com a sua equipe no processo implantado pela consultoria externa e teve que jogar todo o trabalho fora. Passado o choque inicial, acabou criando com seus técnicos sistemas específicos para a joalheria. Desde que assumiu a presidência em 2007, Roberto estimula o pessoal da informática a ir a campo e entender as necessidades de cada departamento. E é isso que Márcia Pinheiro faz. Ela agora passa mais tempo em visitas aos setores, tentando entender suas necessidades e buscando soluções para cada um, do que atrás de um computador.

Hans acreditava que a melhor forma de gestão era "*Managing by walking*". É isso que todos costumam fazer na H.Stern. Caminhar pela empresa. Ir a campo. Visitar setores, visitar lojas. Conversar, ouvir, entender as necessidades de cada departamento.

Aquela ida à oficina tivera um significado especial porque Roberto, após tantas mudanças que fizera na empresa, sempre se questionava se não estaria perdendo a capacidade de inovar. Mas, ao ver o que se passava ali, percebeu que o tempo das grandes reviravoltas na H.Stern ficara no passado. Agora, a empresa vive pequenas revoluções diárias, que ajudam o tempo todo a melhorar a sua gestão. "É tudo tão rápido que a gente não se dá conta do que está sendo feito", Márcia comentou com ele durante a conversa em sua sala. "Sem percebermos, mudamos um pouco a cada dia." Ela, que participara do processo Just in Time, sabia agora que não só as grandes, mas também as pequenas intervenções podem impactar tremendamente a vida das pessoas e da empresa.

Roberto concordou e, na conversa com a executiva, disse: "Acho que o tempo de incendiar o prédio passou. Pelo menos para a nossa geração." O mais importante era o fato de os funcionários já terem incorporado a ideia de que a empresa está em constante evolução.

O fato de as pessoas circularem pelos departamentos umas das outras teve consequências bastante positivas para a H.Stern. Como todos costumam se encontrar, todos sabem o que está acontecendo no departamento de cada um. Dessa forma, todos têm consciência da importância do seu lugar na organização. É como uma engrenagem. Para que tudo funcione, todos os setores têm que estar funcionando bem ajustados. Esta proximidade faz com que os problemas sejam vistos e sanados rapidamente.

A agilidade ocorre, em parte, porque a H.Stern não terceiriza suas operações. A joalheria tem o controle total de todos os processos. Não que não tenham tentado terceirizar. Mas o resultado foi desastroso. Os funcionários perdiam tanto tempo refazendo o serviço dos terceirizados que a produtividade caía, ao invés de aumentar.

Após diversas reuniões de avaliação, os executivos chegaram à conclusão de que o ideal era trabalhar apenas com a equipe interna. Christiane Nielsen, além de chefiar o setor de compra de pedras, é também uma das responsáveis pela área de treinamento. Ela explicou que os funcionários que entram na empresa passam por um permanente treinamento e são estimulados a prestar atenção nos detalhes e a trabalhar com cuidado. "São conceitos muito difíceis de passar para quem é de fora da H.Stern", ela costuma dizer. "Os nossos funcionários conhecem a forma da joalheria operar. Quem é de fora não tem o mesmo cuidado que eles têm. Em todas as áreas da empresa existe a obsessão de fazer bem-feito."

Um dia, em uma passagem pela oficina, Christiane se impressionou com o empenho com que os técnicos estavam confeccionando a medalhinha de prata que seria oferecida como brinde aos turistas que visitam a sede mundial da empresa, em Ipanema. Estavam tão empolgados com a medalha que pareciam estar lidando com uma joia extremamente sofisticada. Não conseguiam fabricá-la como brinde, mas como se fosse uma joia, uma peça única. Até lupa eles trouxeram para mostrar a ela os mínimos detalhes das medalhas.

Diferentemente da maioria das grandes joalherias mundiais, a H.Stern é totalmente verticalizada. Mesmo com todas as mudanças pelas quais passou nos últimos setenta anos, a empresa nunca abandonou essa cultura, que nasceu junto com ela. Na verdade, a verticalização se aprofundou. Toda a produção está reunida sob o mesmo teto. Enquanto a maioria das joalherias compra, por exemplo, a pedra lapidada, na H.Stern eles lapidam até a pedra bruta, se for necessário. Todos os desenhos das joias são feitos pelos designers da empresa, e as joias, confeccionadas pelos seus joalheiros.

Como consequência dessa verticalização, a H.Stern desenvolveu sua própria liga de ouro: o ouro nobre, cuja tonalidade fica entre o ouro branco e o amarelo. "Inventamos o nosso próprio ouro", Roberto se orgulha. "É uma beleza. Mas, até conseguirmos chegar a esse tom que queríamos, fizemos coisas bem feias que foram imediatamente descartadas", ele se diverte.

A verticalização perpassa todos os setores da empresa. As vitrines são decoradas pelos seus vitrinistas; a confecção dos móveis fica a cargo dos seus marceneiros; a parte elétrica, dos seus eletricistas. Até a limpeza e a segurança são feitas com funcionários próprios.

A publicidade e o marketing também são desenvolvidos internamente. As campanhas publicitárias, por exemplo, são definidas e feitas pela empresa. Roberto, como diretor de criação, junto com a jovem diretora de marketing, a engenheira Alix Ligne, uma princesa belga com origens também na família real brasileira, costumam acompanhar até a sessão de fotos para as campanhas, definindo junto com o fotógrafo a modelo, as roupas e as joias a serem usadas.

Para o comando da H.Stern, a verticalização é importante não só pelo controle da operação, mas também para manter a qualidade de tudo o que é feito ali. A avaliação é de que, ao terceirizar, eles perderiam a segurança sobre o que está sendo executado. Em uma época em que todo mundo questiona as origens da matéria-prima, a H.Stern não precisa se preocupar porque tem o controle de tudo o que é produzido e de como é produzido.

Com a verticalização, eles evitam os picos e vales na produção, garantindo a consistência no longo prazo. É um método de gestão que funciona na empresa. Para os seus gestores, ao contrário do que muitas companhias pregam, é a verticalização, e não a terceirização, a responsável pelo corte dos custos intermediários.

"Imagine o quanto não custaria uma campanha publicitária dessas que fazemos, caso fosse terceirizada?", Roberto comentou com sua equipe de marketing enquanto organizava a publicidade dos 70 anos da empresa. Tudo na H.Stern tem o toque pessoal dos donos, apesar de suas 265 lojas espalhadas por doze países. Roberto e Ronaldo, por exemplo, acompanharam pessoalmente a reforma da loja de Nova York na Quinta Avenida, projetada pelo arquiteto brasileiro Arthur Mattos Casas. Ao optarem por um conterrâneo, a ideia foi novamente mostrar o luxo sutil do Brasil, com muito uso de madeira, criando um espaço aconchegante e, ao mesmo tempo, sofisticado. O teto do

Fachada da loja H.Stern na Quinta Avenida,
reformada em 2015.

interior da loja foi desenhado na forma de uma caixa de joias antiga, o que cria uma atmosfera intimista. Toda a iluminação é escondida, de maneira que se veja a luz, sem se perceber de onde ela vem. A fachada foi feita toda em metal escamado, com a forma do S da marca, em uma tonalidade entre o bronze e o dourado. Sóbrio, elegante, moderno e arrojado, sem ser espalhafatoso.

Na Ásia, a ideia foi também replicar a cultura de proximidade, rapidamente absorvida pelos vendedores. Em visita a uma das lojas da H.Stern na China, Alix Ligne voltou impressionada com o empenho deles em explicar o conceito das joias da empresa para os clientes. "Eles falavam aquela língua incompreensível e então, de repente, soltavam em português claro um 'Grupo Corpo' ou 'irmãos Campana' ao se referir às coleções. É bonito ver isso."

A imprensa internacional tem um permanente interesse pela H.Stern. Desde que Hans Stern, no começo dos anos 1960, foi capa da revista *Time*, a empresa nunca mais saiu da mídia. Quase toda semana, tanto Roberto quanto Ronaldo concedem entrevistas para algum veículo mundial. Nessas conversas, Roberto costuma dizer que a H.Stern não é uma joalheria ligada a tendências. "O marketing é decorrência do produto, nunca dita o caminho. Primeiro a gente faz o produto belo e depois vai ver como vai contar a história. Na maioria das empresas é o marketing quem determina o produto. Isso nunca acontece aqui."

Nos últimos tempos, Roberto e Ronaldo decidiram frear a expansão da rede. A proposta, desde o final de 2014, tem sido melhorar e fortalecer a operação atual. A expansão na Ásia foi brecada em função dos problemas da economia brasileira: "Estávamos testando a Ásia, mas agora, com a recessão batendo à nossa porta, temos que fortalecer o mercado brasileiro. Não podemos tirar recursos daqui para colocar lá."

Com a crise começando a atingir a China, em meados de 2015, eles chegaram à conclusão de que a decisão tinha sido mais do que acertada.

Roberto reconhece que o mercado de alta joalheria vem sofrendo com a concorrência de acessórios de luxo como bolsas e sapatos. No Brasil, principalmente, porque houve uma invasão de importados luxuosos. "Nós enfrentamos não só a concorrência das joalherias estrangeiras que vieram para cá como também a dos acessórios. São muitas opções de consumo que tiram o nosso cliente. Nosso desafio é enfrentar essa concorrência."

Os solavancos na economia brasileira e a competição estrangeira não haviam tirado o ânimo de Roberto e Ronaldo no começo do inverno de 2015. Para enfrentar os novos tempos, eles costumam dizer que precisam mostrar para os brasileiros que a H.Stern tem um produto muito melhor e mais bem-acabado do que o que vem de fora. "Acho que seria bacana se os brasileiros entendessem o cuidado com que as coisas são feitas aqui na H.Stern. Precisamos mostrar tudo o que está por trás de nossas joias. Não consigo imaginar nenhum desses grandes conglomerados joalheiros fazendo as coisas de forma tão primorosa como nós fazemos", Roberto reforça nas suas conversas com jornalistas estrangeiros que visitam a joalheria. "Polir à mão é muito mais significativo do que polir à máquina. Esse polimento à mão, que ocorre até na medalhinha de prata que será oferecida de brinde, é uma delicadeza com o nosso cliente. Este cuidado precisa ser reconhecido."

"Stern (do alemão, estrela) s.f. (astronomia) – designação atribuída ao astro ou corpo celeste capaz de produzir sua própria luz e energia, sendo, por isso, distinto dos demais planetas." Valendo-se desta definição, Roberto conversou pela primeira vez com sua equipe de designers para discutir a coleção Gênesis, que celebraria os 70 anos da empresa. Havia dois motivos para escolher o tema estelar: o primeiro era óbvio. As estrelas seriam uma homenagem ao pai e uma referência ao nome da empresa. O segundo era mais pragmático. O anel Stars, criado anos antes, transformara-se em objeto de desejo de nove entre dez mulheres que frequentam a joalheria. A ideia era criar novas variações sobre o tema.

A partir daí, os designers saíram a campo para fazer as pesquisas das imagens que usariam como referência. Atiraram-se com tal paixão ao trabalho que produziram três volumes encadernados com textos e imagens sobre astros e fenômenos astronômicos. As pesquisas partiram dos primeiros petróglifos com os desenhos do céu incrustados na pedra por nossos ancestrais pré-históricos. Passaram por manuscritos chineses de 206 a.C., por tratados árabes e pelos primeiros registros fotográficos de um eclipse, de um cometa, das Plêiades, da estrela Sirius e das constelações. Os designers se debruçaram sobre milhares de imagens para buscar inspiração para os seus desenhos. Após dezoito meses de trabalho, a coleção ficou pronta.

Anel Halley, coleção Gênesis.

O Draco, a Hidra e o Pégaso, três animais mitológicos, inspiraram, por exemplo, a linha Constelações, com anéis, brincos e colares em forma de dragões, serpentes e do mais encantado cavalo da mitologia. Mas havia também os Eclipses, as Plêiades e os Cometas. Como são muito desenhadas e com pontas estelares, as peças receberam um for-

Pulseira Sirius, coleção Gênesis.

ro de ouro especial que as tornaram macias ao contato, evitando que as pontas dos astros e estrelas toquem a pele. Para facilitar a abertura dos fechos invisíveis dos colares, eles foram marcados com pedras de rubi para serem imediatamente encontrados, já que um deles chega a ter 42 estrelas encaixadas.

São tantos diamantes agrupados em anéis, brincos, pulseiras e colares com formatos surpreendentes, que algumas peças possuem uma seta desenhada no forro apontando para o lado correto de usá-la. A coleção foi inteiramente confeccionada com ouro nobre e diamantes conhaque. Este diamante é agora a assinatura da H.Stern. Por causa do seu degradê, ele é mais sutil do que o branco, o que dá um movimento à joia. Ao ver a primeira peça da coleção, a secretária-executiva Isabel da Cal virou-se para Roberto e sugeriu: "A H.Stern não devia mais dar certificado de garantia. Devia dar atestado de autenticidade. Isso é uma obra de arte!"

A sala de almoço do 13º andar da H.Stern é um lugar iluminado por grandes janelas de vidro pelas quais se avista o mar de Ipanema com as ilhas Cagarras ao fundo. Uma visão que sempre encantou Hans, que nunca deixou de prestar atenção na paisagem da cidade. Naquele ameno inverno carioca, Roberto se reunira com algumas executivas para um almoço enquanto discutia assuntos pertinentes à empresa, já que sairia àquela noite para uma curta viagem de férias.

Embora os jornais do dia trouxessem notícias desanimadoras sobre a economia brasileira, o seu recado para elas era claro: "A H.Stern não vai parar porque estamos numa recessão. Vamos continuar investindo em inovação. Vamos continuar correndo em busca de coisas novas, de novos projetos." Sua fala era tranquilizadora: "Nunca entramos em euforia nos períodos de crescimento, nem entramos em pânico em períodos mais complicados do país. Mesmo quando tudo está muito bom, continuamos céticos de que estejamos vivendo o Eldorado. E, quando tudo parece mal, também não nos apavoramos."

O desafio da empresa é a renovação da clientela. Na década de 1990, a H.Stern atraiu novos clientes com as colaborações, que resultaram em joias impactantes, que chamaram atenção de um novo público, em busca de joias menos tradicionais. As colaborações continuarão, mas Roberto está preocupado em como fazer para atrair novos e jovens consumidores para a H.Stern. Desde 2014, o marketing trabalhava a mil em busca de novas ideias para alcançar este público. Começaram com as mídias sociais. Depois, radicalizaram. Participaram de festivais de música com DJs na Croácia e na Bélgica.

De novo, estão ousando. Alix Ligne, durante o almoço, explicou o conceito da nova estratégia lembrando que nenhuma joalheria até hoje se aproximara da área de festa. "Joalherias são sempre muito clássicas. Será uma grande inovação quando a nova campanha da H.Stern ganhar as ruas, mesclando joias com balada."

Alix estava empolgada e arregalava seus grandes olhos azuis enquanto transmitia para as outras executivas da empresa a ideia da coleção

Gênesis. O nome, que quer dizer início, começo, princípio, é significativo para uma empresa que faz 70 anos. A ideia de constante inovação é o que querem passar.

A história de Hans foi sempre marcada pelo sentimento de renovação, desde o dia que deixou a Alemanha naquele longínquo inverno de 1939. Sempre um novo começo diante de cada perda ou mesmo de cada ganho. Em 2000, quando inaugurou a Universidade H.Stern, para treinamento dos funcionários, ele, então com pouco mais de 70 anos, mostrou sua capacidade de se reinventar ao ser tomado pela ideia do desenho. Ele, que a vida toda apregoara que a pedra era a finalidade primordial da joia. "Nós queremos ser conhecidos mundialmente como uma marca, não só como joalheiro, mas como alguém que representa uma filosofia de desenho. Esse é, vamos dizer, o nosso futuro", Hans falou para uma plateia entusiasmada.

Uma boate no alto de um prédio em São Paulo, com vista para a cidade, fora o cenário escolhido para a campanha. No final de julho, na noite das fotos e filmagens da nova coleção, a boate, transformada em estúdio, borbulhava. Três modelos e mais vinte figurantes, com roupas ousadas e exibindo joias sofisticadas, circulavam descontraídos, entre DJs, simulando uma festa animada. A campanha passaria a ideia de celebração. "*Keep the moment*" – guarde o momento –, diz o slogan da joalheria, que ganhou uma música composta pelo músico George Israel, amigo de juventude de Roberto. A joia retém o momento. Ela marca uma ocasião única, um instante especial guardado para sempre na memória afetiva. Um sentimento que se perpetua ao se passar uma joia de uma geração para outra. Ninguém entra em uma joalheria como entra em uma loja de sapatos. Joias são obras de arte, que se adquire em comemoração: um nascimento, um aniversário, um casamento, um grande amor, um afago a si mesmo. Assim também são as festas: ocasiões especiais de celebração para marcar um momento.

Aquela campanha, em especial, festejaria um sonho e uma promessa. O sonho inicial de Hans e de Kurt foi criar algo novo com a marca da tradição. A promessa da geração seguinte foi manter a tradição e ir além. Eles aprenderam com os veteranos e continuaram de onde eles deixaram, como Kurt sugeria aos jovens na carta que escreveu a Hans no dia do seu aniversário de 18 anos. No fundo, todos eles sempre tiveram o mesmo sonho e a mesma esperança: guardar o momento e desafiar o tempo.

◆

Créditos das imagens

p. 14-110. Acervo da família.
p. 115-125. Acervo H.Stern.
p. 140. Fotos 1 e 2: Acervo da família. Foto 3: Acervo H.Stern.
p. 143-160. Acervo H.Stern.
p. 166. Foto 1: Acervo H.Stern. Foto 2: Jochen Harder.
p. 170. Acervo H.Stern.
p. 189. Foto 1: Albert Watson. Foto 2: Michel Feinberg. Foto 3: Alexandre Farias/Usina da Imagem.
p. 200. Acervo da família.
p. 204-208. Acervo H.Stern.
p. 216-217. Foto 1: Marcio Fischer. Foto 2: Acervo H.Stern. Foto 3: Gregg DeGuire/Wire Image.
p. 219. Foto 1: Marcio Fischer. Foto 2: Alexandre Farias/Usina da Imagem.
p. 221. Ricardo Cassiano.
p. 224. Acervo H.Stern.
p. 231. Albert Watson.
p. 233. Mario Cravo Neto.
p. 234. Foto 1: Dean Kaufman. Foto 2: Heber Bezerra.
p. 235. José Luis Pederneiras.
p. 236. Foto 1: Acervo H.Stern. Foto 2: Michel Comte. Foto 3: Alexandre Salgado.
p. 237. Foto 1: James Wojck. Foto 2: Acervo H.Stern.
p. 262. Acervo H.Stern.
p. 265-266. Xico Buny.

Este livro foi composto na tipologia Arno Pro, em corpo 11,5/14,
e impresso em papel offset alta alvura $120g/m^2$ na Ipsis.